計算文学入門（改訂版）

シナジーのメタファーの原点を探る

JN091107

花村 嘉英

還暦の記念に

はじめに

　この本は、2005年に出版した『計算文学入門 − Thomas Mann のイロニーはファジィ推論といえるのか？』の改訂版である。原本は、ドイツのチュービンゲン大学大学院新文献学研究科博士課程（1993-1995）でドイツ語学や言語学（意味論）を研究し、帰国後に機械翻訳の仕事をする傍ら学会などでの発表を経てまとめたものである。1990年代から21世紀の初頭にかけて展開した言語理論「主要部駆動句構造文法」（Head driven phrase structure grammar：HPSG）を使用し、断片的なドイツ語の文法を作成しながら、ドイツを代表する Thomas Mann（1875-1955）の小説を用いて、作家の執筆脳を分析しようと考えた。

　『計算文学入門』の原稿は、ドイツに滞在し博士論文を作成していた熱い気持ちを忘れないように、今でも本棚に飾ってある。当時、『魔の山』（Der Zauberberg）に反映されている Thomas Mann の推論は、具体的に何なのか、また、それがどのようになっているのかを、原書と関連文献のみならず論理学関係の文献、例えば、Synthese なども交えて毎日調べていた。

　本書は、論理文法（Logico-Linguistics）による意味分析をテーマとしながら、まず筆者がどのようにファジィ理論に到達したのかを説明していく。それから、Thomas Mann のイロニーの転換期にあたる『魔の山』を読む際に、ファジィ推論が本当に重要な役割を果たすのかどうか、また、彼のイロニーがファジィ推論といえるのかどうかなどを考えてみる。

　計算の下位区分は、コンピューティングとカリキュレーションである。前者は理系の実績であり、文系が主の我々は、後者が持ち場になる。カリキュレーションでは論理計算のみならず、基本的な統計を用いて、人文科学が専門の研究者があまり取り組

まない文学の統計も試みる。その際、読者の購読脳のみならず作家の執筆脳も分析することにより、理系との内包の違いを説明する。

　HPSGは、音韻論、統語論、意味論、語用論に跨る広範な理論であり、英語を中心に一応多言語に対応できるようになっている。その分析方法をドイツ語と日本語で説明する。理論と実践といったときのアプリケーションは、Thomas Mann の『魔の山』である。

　第一部は、統語論と意味論の解説である。単語に含まれる情報が拡大していくイメージで始まり、単語や句そして節さらには文が持つ情報へと話が展開する。その際、量化、修飾、イディオム、文そして文脈の情報がテーマになる。

　パージング、シュガーリングおよび直観主義は、小説を分析するための理論との接点である。パージングとシュガーリングは、作者の推論を考察するための翻訳技法を提示し、直観主義は、何かの分析、直観、専門家のまとめという文学にも通じる思考の流れを示してくれる。Thomas Mann のイロニーがファジィと相性がよいことを理由に、ここではファジィ、ニューラル、エキスパートという思考の流れを試していく。

　第二部は、やさしいあいまいな数学と題して Thomas Mann の『魔の山』を使用し、作家の執筆脳を分析するための一例を提示する。Thomas Mann のイロニーとファジィネスを並べる根拠、ファジィ集合、ファジィ論理、曖昧な数字、ファジィコントロールを経て、『魔の山』の複数の場面から記憶や心理的な距離について分析を進めていく。

　改訂版を作るにあたり、データベースを作成した。まず、エクセルのAのカラムに原文を入力する。次に、Bのカラム以降は、横に構文や意味のような言語の認知とか、記憶や問題解決未解

決さらには人工知能からなる情報の認知を置いていく（平面図）。そして、駒となる登場人物を動かしながらセルに数字を入力する。この単純な作業は、外国語の購読による学習を補足することにもなる。

改訂版では、本論に続き補説をつけた。人文からマクロのシステムを構築するために、メゾに溜まる3Dの箱（狭義のシナジーのメタファー）を念頭におきながら、ミクロ、メゾ、クラウド、マクロからなる広義のシナジーのメタファーについて考える。シナジーのメタファーとは、作家の執筆脳を分析するための基本的な概念である。

縦軸に言語の認知、横軸に情報の認知、さらに奥軸に調整のためのロジックを取る3Dの箱の中に統計分析から出た数字が入っていく。統計の分析例（補説3）は、バラツキである。データベースを作成しながら統計の分析を進め、バラツキ以外にも『魔の山』に関して、相関、多変量、心理統計、交絡、ファイ係数、カイ二乗検定などの数字を作っている。また、ラフ集合からデータマイニングの分析も試みた。ファジィの代表値を探るためである。

シナジーのメタファーは、何語にも通じる分析方法であり、東西南北からさらに地球規模へと国地域を増やすことができる。私の場合、対照言語がドイツ語と日本語である。修士論文（1987）で取り上げたMontague Grammarは、アメリカ人のRichard Montague（1930-1971）により開発され、その後、統語論と意味論をマージしたGPSG（Generalized Phrase Structure Grammar）やHPSGの流れで存続し、論理文法の小史を兼ねた私の博士論文の中で小説の分析へと展開した。（Hanamura 1995、花村 2005）

また、チュービンゲン大学に交換留学した1989年から1990年にかけて、オランダ語の夜間クラスに参加し、ドイツ人の学生

と共に勉強しながら単位を取得した。南アフリカにはオランダからの移民がいて、英語とともに公用語としてアフリカーンスというオランダ語の方言が通じる。それもあって分析する作家の国地域を南部アフリカにも置き、Nadine Gordimer（1923-1914）の "The Late of Bourgeois World"『ブルジョア世界の終わりに』についてもデータベースを作りながら、執筆脳を分析している。（花村 2018）

　初版が出版されてから17年が経過し、その間に書店の流通もさること私が自分で大学の専門図書館や公立の図書館に著書を寄贈したため、研究実績として一応評価を頂いている。同時に中国日語教育与日本学研究国际会议などでも対照言語から比較の言語文学の枠組みで研究発表をし、データベースを作成する作家の執筆脳にまつわる文学分析について説明してきた。興味関心がある特に若手の研究者の皆さんに大いに取り組んでもらいたい。

　今後の課題は、人文科学からマクロに文学を分析するためのシステムを構築することである。二個二個をイメージしたシステムは、ミクロ、メゾ、クラウド、マクロからなっている。ミクロでは機械翻訳や特許翻訳による共生の文献処理が文献学を支え、メゾには上記の3Dの箱が溜まり、クラウドは、メゾのデータを束ねるための指令として〇〇社会学による分析をする。そして、マクロのまとめとして、例えば、リスク、観察、医療、家族、文化、数理、環境、スポーツなどの分野で社会学からの評価が得られる。

　さらに教授法と翻訳という実務を中心にし、応用言語学の枠組みで、教育、心理、社会、歴史、法律、技術、医学、文学、コンピュータなどが周回するイメージを作る。〇〇社会学は、その外枠で二重に輪を作りながら副専攻を調節し、システムを整える。

こうしたシステムを管理するために、人文と理工、人文と医学の組を意識しながら日常地球規模でデータを作り、メゾに溜まったデータを集団の脳の活動として監視していく。そうすれば、次第にシステムは安定し、他のシステム、例えば、社会と情報とか医療と情報と共存できるようになっていく。これが広義でいうシナジーのメタファーであり、人文からマクロに通じる文学分析のためのシステム構築というパラダイムを人生の集大成として取り組むべき課題にしてくれる。

　本書では副題を初版の「Thomas Mann のイロニーはファジィ推論といえるのか？」から「シナジーのメタファーの原点を探る」に変えた。作家の執筆脳を分析するための概念がここから育っていくことを祈願してのことである。

　我々のシステムに共感し共同で課題に取り組むことができれば、社会人として現在マスターの評価の方々もいずれかのうちに学歴でいう修士や博士とは異なる社会人としての博士の評価になっていく。

　因みに誰もが大学では、人文、社会、理工、医学の一つを主の専門とし、他の3つの系が副の専門である。社会人として学歴ベースに実績を重ねながら、地球規模と文理共生を念頭に置いて他の3つの系をブラックボックスからグレーにし、それらをまとめるとこうなるといった調整をする。その辺が社会人の博士のレベルに当たり、そこを目指して研究に取り組んでいる。読者の皆様にも是非検討して頂きたく、改訂版のまえがきとする。

花村嘉英

目 次

計算文学の目的とは…

●文学作品を扱った先人の優れた業績、例えば、評論や翻訳は数多く存在する。しかし、論理文法を介して自然言語を論理言語に翻訳しながら（またはその逆の操作を繰り返しながら）、作家の推論を探るといった例はまだわずかである。

　作家の推論を解き明かすことに成功すれば、次のステップとして文学作品とテクニカルコミュニケーションのマージも可能になり、シナジーの領域に歩を進めることができる。読者の中で本書が扱うようなテーマに興味を持っている方がいるならば、日ごろから読んでいる小説を使って、是非、作家の推論（様相、時間、存在など）を各自で調べてもらいたい。

●『魔の山』を題材として選択した理由は、「はじめに」にも記した通り、この作品が Thomas Mann のイロニーの重要な転換期にあたるといわれているからである。（Baumgart 1964）つまり、『魔の山』以前は、イロニーが倫理的で強く批判的な条件であるのに対し、『魔の山』ではイロニーが教育的になり、人間の理想像へ接近するための手段となる。そして、その後の作品の中で理想的な人間像が実現されていく。つまりイロニーが芸術的になる。

　また、イロニーに注目した理由は、理論言語学の枠組みでこれまでイロニーを表現することが難しかったからである。そこで、これまで単体的に扱われていた『魔の山』と論理文法のマージを繰り返し、ある時、多値論理のグループに属する様相論理からファジィ理論へと到達した。本書では、あくまで簡単なファジィ理論を適用しながら『魔の山』を解析し、噛み砕いた要素を組み立てていく。詳細については、第2部「やさしい曖昧な数学」を参照すること。

●筆者がファジィ理論に辿り着いた過程を論理文法に基づいた言語分析を使って説明していく。本書において、論理文法は、言語系とシステム系の論理の緩衝材という位置づけである。理由は、両者の仕組みが異質のためである。論理文法は、Montague Grammar、GPSG、HPSG、直感主義論理を経てファジィ理論へと進んでいく。ここではRichard Montagueによる言語分析（PTQ: The Proper Treatment of Quantification in Ordinaiy English）とThomas Mann の『魔の山』をマージすることにより、何か異質のもの、即ちファジィ推論*を引き出せるかどうかがポイントになる。

　つまり、Thomas Mann のイロニーを形式論に沿って記述する場合、ファジィ推論を選択することが現状ではベストであるという結論を探っていく。

●Thomas Mann のスタイルといえるイロニーが、どうしてファジィ推論と関係があると思ったのか。それは、両者の間に共通の特徴を見い出すことができるからである。

　Baumgart(1964)によるThomas Mann のイロニーの定義。"Als die Bedingung seines Prosas hält Thomas Mann immer die Distanz zur Wirklichkeit, einmal um sie so genau wie möglich zu betrachten, einmal sie zu kritisieren, das heißt ironisch. ... Die kritische Distanz könnte zu einer ironischen Distanz werden. Tatsächlich ist der kritischen Prägnanz eine Art Grenze gesetzt, die aus der Beschaffenheit des sprachlichen Mediums selbst dem Bedürfnis nach einer restlos präzisierten Begriffssprache entgegenwirkt."「Thomas Mann は、散文の条件として常に現実から距離をとる。一つは、現実をできるだけ正確に考察するために、また一つは、それを批判するために、つまり、イロニー的に。…この批判的な距離は、イロニー的な距離になりうるであろう。実際、批判的な表現における簡潔さには、余すところなく正確に規定された概念言語の要求に対して、言語

媒体そのものの特徴から反対の行動をとるある種の制限が設定されている。」

　Yager et al(1987)によるZadehのファジィの定義。"There is an incompatibility between precision and complexity. As the complexity of a system increases, our ability to make precise and yet non-trivial assertions about its behavior diminishes. For example, it is very difficult to prove a theorem about the behavior of an economic system that is of relevance to real world economics."「正確さと複雑さは、両立が困難である。システムの複雑さが増すと、その振舞いについて正確ではっきりとした主張はできなくなってくる。例えば、現実の経済と関連したシステムの振舞いを推測することは、大変に難しい。」

●ドイツ語の本文の中で重要と思われる箇所には、日本語で解説（通し番号）が入っている。特に、図表や樹形図は、できるだけ詳細に説明していく。また、本文の理解に役立つように、注釈を使用して専門用語が説明してある。言語学の専門的な説明もあるが、参考文献などを手がかりに読み進めてもらいたい。

●本書は、タイトルにもあるように計算文学の入門編という位置づけである。人間とコンピュータの間にロジックを立てることは標準であり、「Thomas Mannはファジィネス」といった組み合わせを見つけることで、既に亡くなった作家の分析をコンピュータ上で行う場合でも、その方向性を規定することができる。

　無論、そのためには、緩衝材（本書ではMontague Grammar）を設ける必要がある。立てるロジックの方向性が決まれば、つまり、言語系だけではなくシステム系にも延ばせるようにテーマを組むことができれば、人間とコンピュータのやり取りはスムーズに進み、結合や比較といった単体的な処理ではなく、マージによる全く異質の新しい物を見つけることにもつながって

15

いく。

●人文科学からマクロを目指したシステムを構築するために、購読脳のみならず執筆脳も分析する箱を作成する。例えば、『魔の山』の購読脳は、イロニーとファジィ、執筆脳は、ファジィとニューラルという組を作る。それぞれ縦軸横軸で何かの分析→直観→専門家のまとめという思考の流れを考える。奥は、ロジックの軸で、『魔の山』の場合、様相論理→多値論理→ファジィ論理になる。

●主の専門（人文）以外の他系（社会、理工、医学）を研究する際、認知の柱をスライドさせながら何かの分析をしている。認知の柱は、論理計算を勉強すれば見えてくる。上述した縦横の軸は、この種の柱をバラした言語と情報の認知である。柱のスライドとLの分析の双方が上手くできるようになると、文理共生の調節もスムーズになっていく。『計算文学入門』自体が認知の柱になっているため、この種の柱づくりに興味がある方は、自分で認知の柱を試しに作るとよい。因みに、本書は、一応私の人生のシミレーションになっている。

●3Dの箱は、ミクロ、メゾ、クラウド、マクロのうちメゾに溜まっていく。実績を作るために、翻訳の作業単位を作りながらミクロで機械翻訳や特許翻訳の実務を重ねる。そして、メゾのデータを束ねて分析する○○社会学のような指令をクラウドから出し、マクロの結論を導く。これが広義のシナジーのメタファーである（補説4参照）。現在、分析している作家の数は、80人である。対象言語は、ドイツ語と日本語であっても、一応東西南北、できるだけ五大陸六ゾーンをイメージして言語や作家を選択している。

●データベースは、縦横の信号の流れを調節するために作成している。これまでに作成したデータベースは、『魔の山』のみな

らず、魯迅の『狂人日記』と『阿Q正伝』、森鴎外の『山椒大夫』と『佐橋甚五郎』、Nadine Gordimerの『ブルジョワ世界の終わりに』、川端康成の『雪国』などで、やはりバラツキ、相関、多変量、心理統計、交絡、ファイ係数、オッズ比、カイ二乗検定のような統計が処理されている。そして、クラウドからの指令に合わせて、3Dの箱に溜まる数字を比較しながら、代表値を探していく。

●それでは、本題に入っていこう。なお、「シナジーのメタファー」は、2021年3月に特許庁より商標権の登録が許可されている。

Teil 1
論理文法の基礎

Teil 1 論理文法の基礎

Kapitel 1　方向性

要約　第1部は、HPSG[*] が採用する記号のシステムと Montague Grammar から見た論理文法の小史が研究の対象になる。特に、テキストのダイナミズムについて、状況意味論、パージング、シュガーリングそして直感主義論理などを中心に単語や句または文章を扱いながら、実際のテキストと論理文法をマージしていく。

　まず、Pollard and Sag(1994) の Chapter 1 より HPSG の記号のシステムを説明する。統語論、意味論および音韻論のマージを目指した Carl Pollard と Ivan Sag の心意気が読み取れることであろう。

☞ **キーワード**
HPSGの記号のシステム、構成性、テキストのダイナミズム

Zuerst wollen wir das Zeichensystem von HPSG betrachten. Das System besteht aus drei Attributen wie folgt. (Pollard and Sag 1994)

(1)

$$\left\{ \begin{array}{l} \text{PHON} \\ \text{SYNSEM/LOC} \quad \left\{ \text{CAT/CONTENT/CONTEXT} \right\} \\ \text{QSTORE} \end{array} \right\}$$

Der PHON Wert stellt eine Art von Merkmal dar, das eine phonologische und phonetische Interpretation enthält (z.B. eine Reihe von Phonemen). Das SYNSEM Attribut enthält linguistische Information zwischen SYNTAX und SEMANTICS und besteht aus LOCAL (LOC) und NONLOCAL (NONLOC).[*] LOC Information hat drei Teile CATEGORY, CONTENT und CONTEXT.

Der CATEGORY Wert ist eine syntaktische Kategorie und enthält die grammatischen Übereinstimmungen. Der CONTENT Wert leistet seinen Beitrag zu kontextabhängigen Aspekten der Semantik. Der CONTEXT Wert enthält kontextabhängige linguisitische Information. Der QSTORE (QUANTIFIER STORE) Wert ist die Vereinigung des QSTORE Wertes der Töchter ausschließlich der Quantoren, die auf dem Knoten nachgeschlagen werden.

Zum Beispiel ist der CONTEXT Wert eines Satzes ein Objekt von "parametrized state of affairs" (psoa). Die psoas (infons[*]) bestimmt die Typen einer Situation, die durch eine Äußerung des wichtigen Typs eines Satzes beschrieben wird. In der Situationssemantik wird die Bedeutung als eine Beziehung zwischen Situationstypen analysiert. Die linguistische Bedeutung verbindet die Typen einer Äußerungssituation mit den Typen einer beschriebenen Situation.

Die Typen der Äußerungssituation werden meistens von den CONTEXT Werten eines Satzes (z.B. Sprecher, Hörer und Hintergrund usw.) bestimmt. Die Typen der beschriebenen Situation behandeln, wie eine bestimmte beschriebene Situation die Beziehung mit der realen Welt hat. In solcher Weise werden die verschiedenen semantischen Attribute von HPSGschen Zeichen beabsichtigt, um eine spezifische kontextabhähbige Definition einer Bedeutung und eines Inhaltes zu bestimmen.

Dann behauptet Pollard and Sag (1994), ein gewisses Werkzeug wie

Logik außerhalb natürlicher Sprache zu finden, wenn es sich um die Kontextabhängigkeit handelt. Da dieses Buch sucht, welche logische Folgerung der Ironie Thomas Manns angemessen ist, wollen wir die Methode wie zum Beispiel Parsing und Sugaring in der Computer-linguistik betrachten. Wie Sie wissen, übersetzt jene Methode die Ausdrücke natürlicher Sprachen auf die Bäume, während diese Methode die Richtung umkehrte, die Richard Montague in PTQ (The Proper Treatment of Quantification in Ordinaiy English) beschrieb. Dabei handelt es sich um einen einfachen Satz und einen Konditionalsatz.

Ferner wollen wir die Methode der intuitionistischen Logik be-trachten, die die Dynamischheit eines Textes mittels der Typentheorie behandelt. Die Logik wurde von Aaren Ranta entwickelt, indem er die Montague Grammatik verbesserte. Der Unterschied besteht darin, daß die syntaktischen Regelungen der Montague Grammatik eine Doppelrolle (Verbindung der grundlegenden Ausdrücke mit den Analysenbäumen und Sugaring der Analysenbäume ins Englische) spielen, während die intuitionistische Logik nur einen Repräsentationsformalismus gibt, der auf dem Sugaring und den Bedetungsausdrücken beruht.

Versuchungsweise wird die einfache deutsche Grammatik aufgrund der intuitionistischen Logik eingeführt, weil die Logik eine Rolle spielen kann, um von HPSG zur Fuzzy Logik zu führen.

Schließlich wird die einfache Denkweise der Fuzzy Logik vorgestellt,* um die Folgerung der Ironie Thomas Manns mit Hilfe des Zauberbergs zu be-trachten. Einfach gesagt, besteht die Logik aus Fuzzy Menge, Fuzzy Zahl und Fuzzy Kontrolle. Wenn diese Begriffe beschrieben werden, werden manche Beispiele aus dem Zauberberg angeführt. Als ein Beispiel wird die Logik auf die ironische Distanz angewandt, um die Fuzzy Folgerung als eine beste Auswählung anzusehen, wenn die Ironie Thomas Manns formalisiert wird.

解説1

HPSGの一般的な記号のシステム (1) について説明する。例えば、ドイツ語の人称代名詞erについて HPSGの素性構造を用いて表記してみよう。

(2)

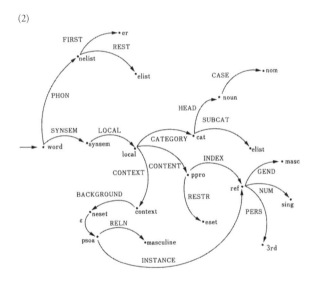

HPSGが採用する素性構造は、分類型である。各接点は、分類記号（systemやlocalなど）によるラベルを持っており、枝分かれの方向を示す属性ラベル（PHON（解説2参照）やSYNSEM）も存在する。

さらに、AVM (attribute-value matrix)（図7参照）が採用されて

いるため、全体的にも部分的にも分類が把握しやすくなっている。例えば、LOCALだけを抽出して言語表現を考察することもできる。

　SYNSEMは、SYNTAXとSEMANTICSという2つの属性からなる複合情報である。SYNSEMは、例えば、補文の主語やto不定詞句の支配語が共有する情報を含むことから、特定の複合表現を単一表現に局所化する必要がでてくる。それが、LOCAL (LOC)である。この情報には、CATEGORY (CAT)、CONTENT (CONT)、CONTEXT (CONX)という3つの属性が存在する。

　CATは、HEADとSUBCATという属性を含んでいる。HEADの値には、substantive (subst)とfunctional (funct)がある。前者には、名詞(noun)、動詞(verb)、形容詞(adjective)、前置詞(preposition)が、後者には、限定子(determiner)やマーカー(complimentizer)が含まれる。名詞は、格(CASE)の素性を、前置詞は、前置詞の書式 (PFORM)を、動詞は、ブール素性(AUXILIARY (AUX)、PREDICATIVE (PRD))や置換(INVERTED (INV))という属性VFORMを持つ。

　SUBCATの値は、記号のバランスを示し、問題の記号が飽和状態を作る際に、他にどのような記号と結合すればよいのかという指定になる。例えば、格の割り当て。

　CONTは、INDEXと呼ばれる属性を担う nominal object (nom-obj)という素性構造である。"er rasiert sich"「彼は髭を剃る」という文の場合、erとsichは、構造上のインデックスを共有するが、erのCONTENT値は personal pronoun (ppro)になり、sichのCONTENT値は reflexive (refl)になる。この属性は、特に呼応(agreement)の問題で重要になる。さらに、意味上の制約を表すために、RESTICTION属性を設けている。これは、パラメータ事象(parametrized state of affairs: psoa)を考慮するためのものである。

　CONXは、BACKGROUND (BACKR)と呼ばれるcontext属性を

持っている。これも psoa に対応するが、CONTENT 値が文字通りの意味と関連するのに対し、BACKGROUND 値の方は、前提条件に対応するアンカー条件を表している。例えば、上図の er は、男性を受けることが前提になっている。

なお、QSTORE については、Kapitel 2「量化の内容」を参照すること。

上図の nelist (nonempty list) と elist (empty list) は、一種の素性構造である。前者には、FIRST と REST という二つの属性が指定される一方、後者にはいかなる属性ラベルも適応されない。また、ε は、モデル化するための接点を導くものであり、便宜上、ε が存在する場合、neset ラベルを、存在しない場合、eset ラベルを担うことになる。

解説2

HPSG の音韻論について簡単に説明する。HPSG の PHON の値は、音素*の連鎖と見なされている。一般的に HPSG のような記号ベースの理論は、制限の強い音韻論を採用する。例えば、Bird (1990) は、記号には音韻属性と意味属性が内在し、それらを分散するために統語属性が制限を課すと見なして、(3) のような文法組織を考えた。

各接点の属性値は、娘の属性値にとって関数になっている。これは、範疇文法に基づいて音韻論を提案した Wheeler (1988) などと同様に、ある種の構成性原理を採用している。

図 (1) にもあるように、記号は、音韻の内容、分散するための統語的な特徴そして意味への貢献といった少なくとも3つの次元で変化していく。そして、より大きな記号を形成するために別の記号と結合していく。また、文法組織は、形態素の貯蔵庫といえるレキシコンのために存在し、形態素の構造に対する制限は、

レキシコンに関する一般化と見なすことができる。つまり、レキシコンに関する一般化が形態素として生じる記号に適用される。

(3)

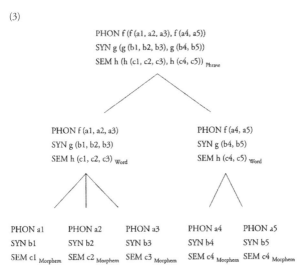

PHON f (f (a1, a2, a3), f (a4, a5)}
SYN g (g (b1, b2, b3), g (b4, b5))
SEM h (h (c1, c2, c3), h (c4, c5)) ₚₕᵣₐₛₑ

PHON f (a1, a2, a3)
SYN g (b1, b2, b3)
SEM h (c1, c2, c3) ₓₒᵣ𝒹

PHON f (a4, a5)
SYN g (b4, b5)
SEM h (c4, c5) ₓₒᵣ𝒹

PHON a1
SYN b1
SEM c1 ₘₒᵣₚₕₑₘ

PHON a2
SYN b2
SEM c2 ₘₒᵣₚₕₑₘ

PHON a3
SYN b3
SEM c3 ₘₒᵣₚₕₑₘ

PHON a4
SYN b4
SEM c4 ₘₒᵣₚₕₑₘ

PHON a5
SYN b5
SEM c4 ₘₒᵣₚₕₑₘ

解説3

　論理文法には、自然言語と論理言語をつなぐための役割がある。また、小説には必ず、様相、時間、存在といった推論と共有可能な情報が存在する。本書の目的は、Thomas Mann の文体がどのような推論なのかを考えていくことである。こうしたことばの裏側に存在する推論を捉えることができれば、緩衝材（ここでは PTQ など）を介して人間とコンピュータの間に立てるロジックの方向性を決めることができる（ここでは Fuzzy Logic）。

まずポイントになるのがRichard MontagueのPTQである。題目にもあるように、PTQは、量化の問題を取り上げ、自然言語と論理言語の翻訳技法を扱っている。また、生成文法との整合性が良く、この手法を概ね理解することができれば、英語の基本表現を基にした分析樹から内包論理への変換方法と、分析樹から簡単な英語の文へのシュガーリングという二重構造が理解できる。詳細については、GPSGを参照すること。なお、シュガーリングは、パージングと逆のプロセスになる。

　次に紹介するRanta (1991)の直感主義論理は、PTQのような二重構造ではなく、シュガーリングと意味解釈に対する表現の形式化が存在するだけである。直感主義もやはり量化の問題について古典的な二値論理では対応できないという立場を取る。確かにタイプ理論が重要な役割を果たす。しかし、PTQが処理する量化と照応だけではなく、条件文から文脈に依存するテキストのダイナミズムも考慮するため、PTQから少しずれたMartin-Löfのタイプ理論（解説20参照）を採用している。

　直感主義論理と同様に、ファジィ論理は、多値論理の系に属している。1960年代前半、Zadehは、厳密な数学と曖昧な現実との矛盾に橋渡しをすべく、真理値だけではなく概念に対しても曖昧な値を導入することに成功した。こうして産声を上げたファジィ理論は、システム系の理論として成長しつつ、言語系の研究者にも注目されるようになっていく。

　本書では、テキストの情報を処理するために最低限必要と思われる概念、例えば、ファジィ集合、ファジィ論理、曖昧な数字そしてファジィコントロールなどを『魔の山』に重ねて説明していく。そして、推論の土台になる記憶や知識の問題と話を照合しつつ、『魔の山』におけるイロニー的な距離の問題を音の情報も含めて考察していく。

つまり、本書における結論は、Thomas Mann のイロニーを形式論で記述する場合、ファジィ推論を選択することが現状ではベストであるということになる。また、「計算文学の目的とは・・・」の中でも述べたように、Thomas Mann のイロニーと Zadeh のファジィ理論*が、本書により整合性がよいものと認識されることを希望する。

Kapitel 2　量化の内容

要約　Montague の PTQ にもあるように、量化の問題は、論理文法においてこれまで頻繁に扱われてきた（本章の解説4および Kapitel 4-2および Kapitel 4-3を参照すること）。ここでは、HPSG が採用する状況意味論に基づいた量化に関する平易な意味分析を紹介する。

☞ **キーワード**
HPSG の意味の原理、言語情報の受け渡し、量化の原理

Wie Montague in seinem Aufsatz (The Proper Treatment of Quantification in Ordinary English) bestimmte, waren die Quantoren ein wichtiges Thema in der Logico-Linguistik. HPSG behandelt sie durch das folgende semantische Prinzip.

(4) Semantisches Prinzip

In einer köpfigen Phrase ist der CONTENT Wert merkmal-identisch mit dem Wert der Adjunkttochter, wenn der DTRS (DAUGHTERS) Wert "head-adj-struc" (head-adjunct-structure)* ist, und sonst mit dem Wert der köpfigen Tochter.

Das Prinzip kann den CONTENT Wert für eine große Klasse von Strukturen bestimmen. Allerdings mag der Inhalt der Quantifikation durch das folgende Quantorenübernahmenprinzip ergänzend bestimmt werden.

(5) Quantorenübernahmenprinzip

Der QUANTIFIER-STORE (QSTORE) Wert eines Phrasen-
knotens ist die Vereinigung der QSTORE Werte der Tochter ausschließlich jeder Quantoren, die auf jenem Knoten nachgeschlagen
werden.

Die Prinzipien werden in (6) beschrieben, um die Beziehung miteinander zu verstehen.

(6)

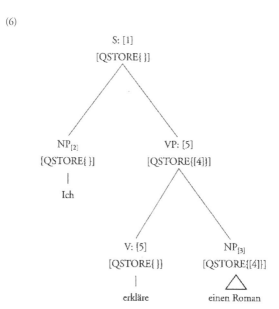

Alle Quantoren werden durch große Phrasen übernommen und sie werden auf einer angemessenen höheren Ebene der Struktur nachgeschlagen, deren CONTENT Wert ein quantifiziertes psoa sein wird. Wenn quantifizierte psoas zuerst analysiert werden, wird der CONTENT Wert des Satzes "Ich erkläre einen Roman" illustriert wie folgt.*

(7)

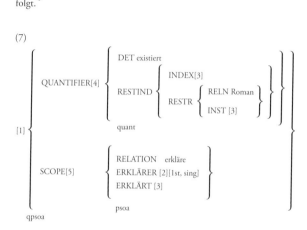

Aber diese Annahme widerspricht der Formulierung des semantischen Prinzips in (4), weil der CONTENT Wert von S in (6) nicht mehr identisch mit dem Wert seiner köpfigen Tochter ist. Deutlich muß eine Revision hier für die Prinzipien gemacht werden, die den QSTORE und den CONTENT Wert miteinander verbinden.

Zuerst wird die Merkmalstruktur von (quantifizierten) psoas wieder strukturiert. Besonders wird es vorgeschlagen, psoa (parametrized state of affairs) und qpsoa durch ein quantifiziertes psoa wie (8) zu ersetzen.

(8)

$$\left\{ \begin{array}{ll} \text{QUANTIFIERS (Liste von Quantoren)} \\ \text{NUCLEUS} \quad \text{(qfpsoa)} \end{array} \right\}$$
psoa

Das Hauptunterschied besteht darin, daß quantifizierte Information (QUANTIFIERS(QUANTS)) sich von keinem quantifizierten Kern (NUCLEUS) trennt. Der NUCLEUS Wert hat eine neue Sorte (quantifier-free-psoa (qfpsoa)) wie (9) und der CONTENT (Ich erkläre einen Roman) wird analysiert, wenn das Etikett[4]den Quantor wie (10) bezeichnet.

(9)

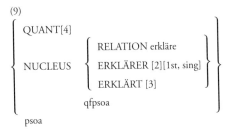

psoa

(10)

$$
\left\{
\begin{array}{l}
\text{DET existiert} \\[2ex]
\text{RESTIND}
\left\{
\begin{array}{l}
\text{INDEX[3]} \\[2ex]
\text{RESTR}
\left\{
\begin{array}{l}
\text{QUANTS} < > \\[2ex]
\text{NUCLEUS}
\left\{
\begin{array}{l}
\text{RELN Roman} \\
\text{INST [3]}
\end{array}
\right\}
\end{array}
\right\}
\end{array}
\right\}
\end{array}
\right\}
$$

Es ist zu bemerken, daß der RESTRICTION Wert eines Quantoren-indexes eine Menge von quantifizierten psoas ist, deren beide sich quantifiziert werden mögen. Der Einfachheit halber wird (10) abgekürzt wie folgt.

(11) $(\exists x_3 | \{Roman(x_3)\})$

Grundsätzlich zwingen die HPSGsche Prinzipien die Beziehung zwischen QSTORE und QUANTS, indem man so garantiert, daß die Quantoren einen Skopus zugewiesen werden, wenn sie vom Speicher abgenommen werden. Das wird in (12) illustriert.

(12)

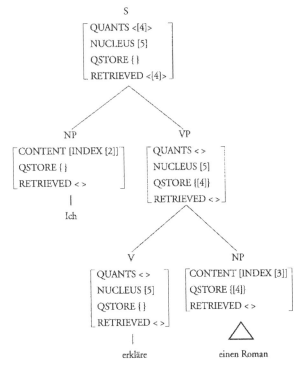

Hier ist [4] der Quantor, der in (10) und (11) gezeigt wird, und [5] ist das quantor-freie psoa, das in (13) gezeigt wird.

(13)

$$\left\{ \begin{array}{l} \text{RELATION erkläre} \\ \text{ERKLÄRER [2]} \\ \text{ERKLÄRT [3]} \end{array} \right\}$$

Wenn die Quantoren sich von anderen Aspekten des Inhaltes trennen, wird der NUCLEUS Wert [5] der köpfigen Phrasen in (12) mit den NUCLEUS Werten ihrer zugehörigen Töchter identifiziert.

In (12) sind die nicht-köpfigen Töchter die Komplemente. In einer Struktur eines köpfigen Adjunkten ist es die Adjunkt-Tochter. Deshalb sieht das allgemeine Prinzip, das den CONTENT Wert der köpfigen Strukturen in (15) regiert, den Begriff des semantischen Kopfes nach. Der Kopf wird in (14) definiert.

(14) Der semantische Kopf einer köpfigen Phrase
    (1) die Adjunkt-Tochter in einer köpfigen Adjunkt-Struktur,
    (2) sonst die köpfige Tochter.

(15) a. Inhaltsprinzip:
    In einer köpfigen Struktur,
    (Beispiel 1) wenn der CONTENT Wert des semantischen Kopfes "psoa" hat, ist der NUCLEUS Wert merkmalidentisch mit dem NUCLEUS Wert der Mutter;
    (Beispiel 2) sonst, der CONTENT Wert des semantischen Kopfes ist merkmalidentisch mit dem CONTENT Wert der Mutter.

Es ist zu bemerken, daß (15) a in zwei Fällen getrennt wird, je nachdem der CONTENT Wert des semantischen Kopfes ein psoa ist (eine

Konstituente wird durch ein Verb oder durch ein prädikatives Adjektiv, Präposition oder Substantiv mit einem Kopf versehen) oder nicht (eine Konstituente wird durch ein unprädikatives Substantiv oder Präposition mit einem Kopf versehen). Der Standpunkt besteht darin, daß der NUCLEUS Wert nur in jenem Fall zwischen der Mutter und dem semantischen Kopf identifiziert wird. Das berücksichtigt das Nachschlagen des Quantors.

Dann wird ein neues Attribut von Zeichen vorgestellt, die RETRIEVED-QUANTIFIERS (RETRIEVED) genannt werden. Der Wert wird eine Liste der Quantoren sein. Hier gibt es zwei universale Beschränkungen, deren Effekt verlangt, daß alle Quantoren im Bereich richtig liegen wie folgt.

(15) b. Quantorenübernahmenprinzip

In einer köpfigen Phrase ist der RETRIEVED Were eine Liste, deren Menge der Elemente eine Untermenge für die Vereinigung der QSTORE Werte der Töchter bildet und der Wert ist nicht leer, nur wenn der CONTENT Wert des semantischen Kopfes ein psoa hat und der QSTORE Wert das relative Komplement des RETRIEVED Wertes ist.

Das andere Prinzip wird in (15)c erklärt:

(15) c. Skopusprinzip

In einer köpfigen Phrase, deren semantische Kopf ein psoa hat, ist der QUANTS Wert das Zusammenhang des RETRIEVED Wertes mit dem QUANTS Wert des semantischen Kopfes.

Das verbundene Effekt der drei Prinzipien (15) a-c kann in (16) dargestellt werden.

(16) Semantisches Prinzip

In einer köpfigen Phrase:

a.   der RETRIEVED Wert ist eine Liste, deren Menge der Elemente eine Untermenge für die Vereinigung der QSTORE Werte der Töchter bildet und der QSTORE Wert ist das relative Komplement jener Menge, und

b.   (Beispiel 1) wenn der semantische Kopf ein psoa hat, dann ist der NUCLEUS Wert identisch mit dem Wert des semantischen Kopfes, und der QUANTS Wert ist das Zusammenhang des RETRIEVED Wertes mit dem Wert des semantischen Kopfes; (Beispiel 2) sonst ist der RETRIEVED Wert leer und der CONTENT Wert ist merkmalidentisch mit dem Wert des semantischen Kopfes.

Das reformierte semantische Prinzip bereitet eine richtige Erklärung der Beziehung vor, die es zwischen QSTORE und CONTENT in (12) gibt. Zusätzlich erlaubt es einem Satz wie (17), verschiedene CONTENT Werte in (18) und (19) zu haben.

(17) Jeder Forscher erklärt einen Roman.

(18) $(\forall x_1|\{\text{Forscher } (x_1)\})$ $(\exists x_2|\{\text{Roman } (x_2)\})$ erklären (x_1, x_2)

(19) $(\exists x_2|\{\text{Roman}(x_2)\})(\forall x_1|\{\text{Forscher } (x_1)\})$ erklären (x_1, x_2)

Das Effekt des semantischen Prinzips wird in (20) illustriert, wo die Etiketten [4] und [6] die Quantoren in (21) erwähnen. Der Einfachheit halber werden die leeren Werte für QSTORE und RETRIEVED nicht gezeigt.

(20)

a.

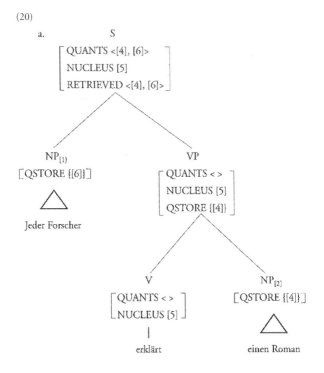

b.

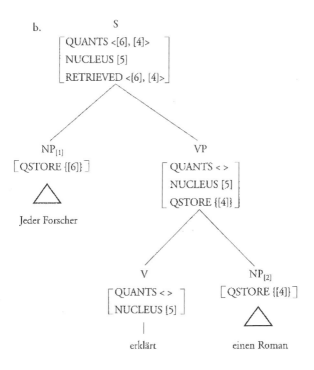

(21) $[6] = (\forall x_1 \{\text{Forscher } (x_1)\})$

$[4] = (\exists x_2 \{\text{Roman}(x_2)\})$

Alle Quantoren brauchen auf dem gleichen Knoten nicht nachgeschlagen zu werden oder sich auf allen Knoten einer Kategorie nicht zu leeren. Die Quantoren in (20) können im Speicher bleiben, um auf einer höheren Ebene der Struktur nachgeschlagen zu werden. Eine Möglichkeit, die durch die Analyse erlaubt wird, wird in (22) illustriert, wenn der CONTENT Wert in (23) gezeigt wird.

(22)

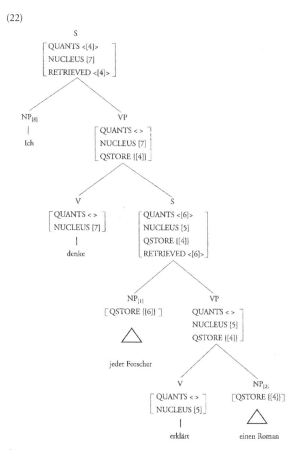

(23) $(\exists x_2|\{Roman(x_2)\})$denken $(x_8, (\forall x_1|\{Forscher(x_1)\})$ erklären$(x_1, x_2))$

Die Analyse des obengenannten Quantors erlaubt einem Quantor in einem VP (verb phrase)-Komplement, einen engen Skopus in (24) - (25) zu nehmen, wenn das Etikett [3] den Quantor $(\forall x_2|\{Patient(x_2)\})$ erwähnt.

(24) Behrens versucht, jeden Patienten zu befriedigen.

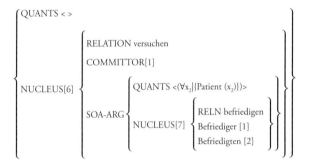

(25)

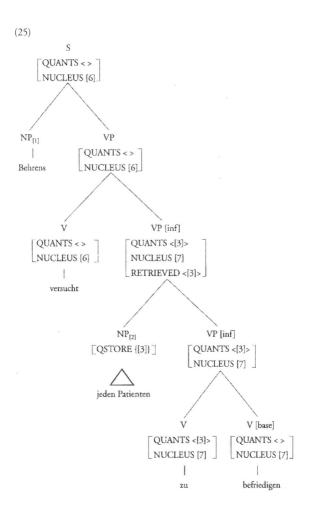

Es ist zu bemerken, daß das Element des Hilfsverbs "zu" nicht-leere QUANTS und NUCLEUS Werte hat, weil der lexikalische Eintrag bleibt.*

(26) zu

$$\left\{ \begin{array}{l} \text{CAT} \quad \left\{ \begin{array}{l} \text{HEAD} \quad \text{VFORM [inf , AUX+]} \\ \text{SUBCAT <[2]NP, VP[base, SUBCAT<[2]>]: [1]>} \end{array} \right\} \\ \text{CONTENT[1]} \end{array} \right\}$$

Wenn der CONTENT Wert von "zu" mit dem Wert des VP Komplementes identifiziert wird, werden QUANTS und NUCLEUS Werte identifiziert. Deshalb garantiert das semantische Prinzip, daß der QUANTS Wert der Phrase "jeden Patienten zu befriedigen" daraus resultiert, dem nicht-leeren QUANTS des semantischen Kopfes "zu" die leere Liste (des nachgeschlagenen Quantors) beizufügen wie in (25).

　HPSGが採用しているAVMを使用して、量化の意味分析の例を紹介した。例文"Ich erkläre einen Roman"（長編小説を説明する）には、解説1にある素性構造と同様に統語情報として範疇や数または人称の一致などが存在し、そこに意味情報として文脈に依存する要素が重なっていく。

　まず注目したいことは、意味の原理(4)とAVM(7)が矛盾している点である。図(6)にあるSのCONTENT値が、主要部の娘(VP)の値と一致しないためである。そこで、QSTORE値とCONTENT値を関連づける原理を改訂しなければならない。BACKGROUNDの素性値であるpsoaの素性構造の表記を再度検討してみよう。

　図(8)のような内部構造を持ったpsoaと古いpsoaおよびqpsoaを取り換える。違いは、量化の情報が非量化のNUCLEUSから分離している点である。QUANTSの値は、数量詞のリストであり、NUCLEUSの値は、量化自由のpsoa (qfpsoa) と呼ばれるものである。"Ich erkläre einen Roman"のCONTENTは、図(9)のように分析され、タグ[4]は、図(10)に示されている数量詞になる。

　QSTOREとQUANTS間の関係に制約を加える原理は、数量詞に対してスコープの割り当てを保証してくれる。図(12)のタグ[4]は、図(10)にある数量詞で、タグ[5]は、図(13)の中で与えられた量化自由のpsoaである。数量詞を他のアスペクトから切り離すと、残りの情報（NUCLEUS値のタグ [5]）は、主要部の娘のNUCLEUS値と一致する。

　主要部－付加語構造では、付加語の娘が親のCONTENT値を決定し、それ以外の場合は、主要部の娘が決定することになる。(15a)は、意味の主要部のCONTENTがpsoaかどうかによって二

分されている。その際、親と意味の主要部間でNUCLEUSだけが特定されるようになる。(15b) と (15c) には、RETRIEVED-QUANTIFIERSと呼ばれる新しい属性が導入されている。これにより検索された数量詞が正確に調べられるといった効果が出る。(15b) と (15c) は、それぞれ数量詞継承の原理および解釈範囲の原理と呼ばれている。こうして、矛盾があった意味の原理 (4) は、(16) として修復された。

解説5

QSTOREとCONTENTの関係は、解説4にある意味の原理を使用すると、説明の効果を読み取ることができる。図(20)におけるタグ[4]と[6]は、それぞれ数量詞である。すべての数量詞は、同じ節点で検索されることはない。また、それらがある範疇の節点すべてで空になることを要求するものもない。図(20)は、何れも高いレベルの構造で検索することが可能である。(23)の中のCONTENT値を記した図(22)がその例になる。また、解釈の範囲が狭いVP補部に数量詞を認める例が、図(24) と (25) に示されている。但し、(24) のSOA-ARGは、関係者（ここではPatient）に影響を与える行為のことである。

ここで、タグ[3]は、数量詞 $(\exists x_2|\{\text{Patient }(x_2)\})$ を指し、また zu に空でないQUANTSとNUCLEUS値が割り当てられている。これは、図(26)にもあるように、zu の語彙登録が残るからである。zu のCONTENT値をVP補部と共に識別することにより、QUANTSとNUCLEUSの値をそれぞれ特定していく。このようにして意味上の主要部 zu の空でないQUANTSに数量詞の空のリストを付与すると、jeden Patienten zu befriedigen のQUANTS値が生じることを、上述の意味の原理が保証してくれる。

解説6

　Pollard and Sag (1994) は、次のような例文を引いて数量詞に関する制約をさらに課している（数量詞束縛条件）。これは、CONTENT 値に関する広範な適格条件であり、次のように定義されている。

a. One of her_i students approached [each teacher]_i.
b. The picture of himself_i in his office delighted [each director]_i.
c. [Each man]_i talks to a friend of his_i.

定義: 数量詞の指標の都度の出現は、CONTENT 値内に含まれた数量詞を前提にして捉えなければならない。

　ここで注意すべきことは、数量詞が CONTENT 値内で出現する場所だけを QUANTS リスト上に示していることである。但し、QUANTS リスト上にある数量詞は、指標の出現が 1) 数量詞の制限内にある、2) 同じ QUANTS リスト上にある問題の数量詞の右側に現れる他の数量詞内にある、3) 問題になっている psoa の NUCLEUS 内にあるという条件つきになる。つまり、論理形式の統語論によって意味の一般化を捉えようとしている。それは、モデル理論の CONTENT 値の解釈が制約の必要性を消してくれるからである。条件を満たさない数量詞を含む CONTENT は、HPSG において単に解釈の対象外となっている。

要約　量化と同様に、修飾の問題も論理文法においてしばしば取り上げられている。* ここでは、名詞を修飾する形容詞がテーマになる。また、これと関連してイディオムの内部を修飾する形容詞、例えば、auf den leibhaftigen Hund kommenのleibhaftigについても検討するが、これは、フレーゲの構成性原理がポイントになる。*

☞ キーワード
修飾語、フレーゲの原理、イディオムの原理

Hier handelt es sich um den lokalisierten Wert des lexikalischen Eintrags für ein attributives Adjektiv (z.B. blau) wie folgt, um die neue QUANTS/NUCLEUS Kodierung von psoas zu reflektieren.

(27)

$$
\text{CATEGORY} \left\{
\begin{array}{l}
\text{HEAD} \left\{
\begin{array}{l}
\text{MOD N': } \left\{ \begin{array}{l} \text{INDEX[1]} \\ \text{RESTR[3]} \end{array} \right\} \\
\text{adj}
\end{array}
\right\} \\
\text{SUBCAT< >}
\end{array}
\right\}
$$

$$
\text{CONTENT} \left\{
\begin{array}{l}
\text{INDEX[1]} \\
\text{RESTR} \left\{
\begin{array}{l}
\text{QUANTS < >} \\
\text{NUCLEUS} \left\{ \begin{array}{l} \text{RELN blau} \\ \text{INST[1]} \end{array} \right\}
\end{array}
\right\} \cup [3]
\end{array}
\right\}
$$

Die Interpretation des Adjektivs wie blau wird in (28) gezeigt.

(28) $x_1|\{Auge\ (x_1),\ blau\ (x_1)\}$

Es erlegt dem Anker eines Parameters mehrere Beschränkungen auf. Wie es manchmal gesagt wird, zeigen die farbigen Beziehungen einen verdeckten Parameter, dessen Wert eine Skale der Farbe fixiert, sowie die Extensionen von measure adjectives abhängig von den Bestimmungen eines Maßstabs, eines Vergleichs und einer Norm für die Klasse der gemessenen Eigenschaft sind. (Siegel 1979)

Um die mehrere Beschränkungen auf andere Adjektive wie schön zu erweitern, muß eine Funktion angenommen werden, die als Argument die Eigenschaft nimmt, die das Adjektiv modifiziert. Im Augenblick erscheint der Inhalt von *schön X*, abhängig von der Bedeutung X zu sein.

(29) a. Das ist ein schönes Fenster.

b. Ein schöner Anzug ist teuer.

Der Inhalt von *schön X* ist doch nicht immer abhängig von der Bedeutung X. Der Anker des Parameters, der als der Wert des STANDART Attributes fungiert, muß manchmal durch kein modifiziertes Substantiv, sondern den vorzeitigen Kontext bestimmt werden.

(30) Hans Castorp wurde im Berghof hier oben geröntgt. Dadurch sah er zuerst eine schöne Rippe.

Der STANDART Wert der Schönheit wird durch kein modifiziertes Substantiv (Rippe), sondern die wichtige Eigenschaft (Röntgenaufnahme) bestimmt.

Das Adjektiv wie angeblich ist unvereinbar mit den mehreren Beschränkungsanalysen, da *angeblich X* braucht, X nicht zu sein. Der lexikalische Eintrag für ein Adjektiv wie angeblich mag die substantivische Beschränkungsmenge als ein Argument der angeblichen Beziehung einbetten wie folgt.

(31)

$$
\text{CATEGORY}\left\{
\begin{array}{l}
\text{HEAD}\left\{ \text{MOD N'} \quad \left\{ \begin{array}{l} \text{INDEX[1]} \\ \text{RESTR[3]set} \end{array} \right\} \right\} \\
\quad\quad\quad \text{adj} \\
\text{SUBCAT< >}
\end{array}
\right\}
$$

$$
\text{CONTEXT}\left\{
\begin{array}{l}
\text{INDEX[1]} \\
\text{RESTR}\left\{ \begin{array}{l} \text{QUANTS < >} \\ \text{NUCLEUS}\left\{ \begin{array}{l} \text{RELN angeblich} \\ \text{SOA-ARG[3]} \end{array} \right\} \end{array} \right\}
\end{array}
\right\}
$$

Darum wird der Inhalt von N' wie angeblicher Täter als nom-obj in (32) gezeigt.

(32) x_1|angeblich ({Täter (x_1)})

Die Bestimmung dieses Types ist abhängig davon, daß ein bestimmtes Individuum in einem Kontext behauptet, ein Täter zu sein, trotzdem er tatsächlich kein Täter ist.

Um die Modifizierung noch ausführlicher zu betrachten, handelt es sich hier um ein modifiziertes Idiom. Wie Gazdar et al (1985) erklärte, betrachtete ich auch, ob ein Teil eines Idioms durch ein Adjektiv modifiziert werden könnte, um die Kompositionalität zu stützen. Die semantische Theorie von GPSG nahm die Semantik für natürliche Sprachen an, die von Montague (1974) beschrieben wurde. Nach seinem Prinzip wird jeder Baum der Phrasenstrukturen durch die Interpretation in der Form einer Transformation in die intensionale Logik begleitet. (Gunji 1987)

Eine wichtige Eigenschaft der Montague Grammatik besteht in der Begriff der Kompositionalität oder des sogenannten Fregeschen Prinzips. (Frege 1986)

(33) Fregesches Prinzip

Wenn die Bedeutungen der Bestandteile B und C erhalten werden, wird die Bedeutung von A als eine Funktion dieser Bedeutungen gehalten (SEM (α) = F(SEM(β), SEM(γ))).

Das Prinzip ist gut vereinbar mit einer Syntax, die auf einer kontextfreien Grammatik angenommen wird. In einer hierarchischen Struktur besteht ein Subbaum eines Baumes einer Phrasenstruktur aus einer Mutter und vielen Töchtern.

(34)

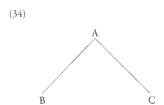

In (34) mögen B und C selbst die Wurzeln anderer Subbäume in einem komplizierten Baum einer Phrasenstruktur sein. Wenn die Grammatik kontextfrei ist, entspricht der lokale Baum der folgenden Regelung.

(35) A→BC

Das führt zum sogenannten rule to rule Prinzip. (Bach 1980)

Im Gegensatz zur obengenannten Verwendungsweise der Adjektive in (28), (29) und (32) modifiziert das attributive Adjektiv in (36) zwar morphosyntaktisch das Substantiv Hund, aber semantisch nicht so.

(36) a. auf den Hund kommen.
       b. auf den leibhaftigen Hund kommen.

In (36) b wird die Bedeutung des Idioms teilweise modifiziert. Das bedeutet ungefähr, wirklich und wahrhaftig wirtschaftlich zugrunde zu gehen. (Greciano 1982) Hier wird ein AVM (attribute-value matrix) Diagramm wie (37) illustriert, weil leibhaftig eine Rolle einer Hecke in der Fuzzy Logik spielt. (Lakoff 1973) Hiermit wird die idiomatische Analyse der Montague Grammatik erweitert.

(37)

$$
\begin{bmatrix}
\text{CATEGORY} &
\begin{bmatrix}
\text{HEAD} &
\begin{bmatrix}
\text{MOD N'}: &
\begin{bmatrix}
\text{INDEX [1]} \\
\text{RESTR [3] set}
\end{bmatrix} \\
\text{adj}
\end{bmatrix} \\
\text{SUBCAT} < >
\end{bmatrix} \\
\text{CONTEXT} &
\begin{bmatrix}
\text{INDEX [1]} \\
\text{RESTR} &
\begin{bmatrix}
\text{QUANTS} < > \\
\text{NUCLEUS} &
\begin{bmatrix}
\text{RELN leibhaftig (hedge)} \\
\text{SOA-ARG [3]}
\end{bmatrix}
\end{bmatrix}
\end{bmatrix}
\end{bmatrix}
$$

Schließilich handelt es sich weiter darum. ob ein Idiom selbst als eine Art von linguistischen Hecken angesehen werden könnte, weil Fleischer (1982) beschreibt, daß die Phraseologismen in besonderer Weise den Modalitätsparameter eines Textes wie seine Isotopie bestimmen können.

(38) Idiomatisches Prinzip

Wenn ein Idiom in einem Text verwendet wird, soll es als eine linguistische Hecke angesehen werden.

In Fleischer (1982) wird eine Idiomatizität als eine irregulares Verhältnis zwischen der Bedeutung der Wortkomponenten und der Bedeutung des ganzen Satzes angesehen.

　ここでは、修飾語、特に名詞を修飾するまたはイディオムの一部を修飾する形容詞が研究の対象になる。まず、付加的な形容詞「青い」の語彙登録に関するローカルな値の処理を見てみよう。(27)のような形容詞は、指標の制限が形容詞からなる psoa と N'主要部の名詞からなる psoa を含んだ N'を形成するために、名詞の構成要素と結合することになる（28を参照すること）。しばしば議論になるが、色彩用語は、その値自体が目盛りを固定する隠れたパラメータになることがある。ここでは、「青さ」を決定する尺度がそれに当たる。

　つまり、「青い」という関係が付加的な役割(STANDARD)を持っていて、その値は、文脈上で決まる特徴であり、「青さ」を決定するための標準を提供してくれる。これにより(29)のような形容詞に対して制約を設けることが可能になる。これらは、修飾する名詞と関連した特徴を変数とする関数として処理されるべきである。この立場に立つと、例えば、*schön X* の内容は、X の意味にかなり依存することになる。

　しかし、(30)のように「美しい」の標準が修飾される名詞（肋骨）によって決まらないことがある。重要な特徴（レントゲン写真）は、むしろ前述の文脈によって提供されると考えた方が自然である。標準（STANDARD の属性値としての役割を果たすパラメータのアンカー）は、修飾される名詞の特徴（関係）によって決まるが、文脈に依存する場合もあるということになる。

　Angeblich（自称の、表向きの）のような形容詞は、angeblich X が X である必要はないという理由から、解説7で説明した制約

と一致しないように見える。この場合、名詞の制約は、angeblich
な関係の変数として挿入される（31を参照すること）。そして、
angeblicher Täter のような N' の内容は、(32) に示されている nom-
obj になる。この種の名詞により言及される個人は、文脈上、実
際に犯罪者でなくても、犯罪者であると主張すれば、成立する
からである。

解説9

　修飾語の分析例として、GPSG の枠組みで構成性（フレーゲ
の原理）を維持するために、イディオムの一部に修飾語を付加
することができるかどうか自身で試したことがある。（花村
1991）但し、本書では、論理文法の歴史に従って構成性を強く
意識することはない。条件文やテキストを扱うために、中間処
理に依存する方向で理論が展開していくためである。GPSG は、
統語論に文脈自由の句構造文法を、そして意味論に Montague
Grammar を採用した世界的に有名な言語理論である。
　ここでの問題点は、例文(36)に示されている。形容詞 leibhaftig
の形態統語的な修飾は、確かに名詞 Hund に掛かっているが、
意味上の修飾は、この名詞ではなく動詞になるためである。
　それ故、本書では、leibhaftig をファジィ論理でいうある種のヘ
ッジとして扱い、さらに、イディオム自体もヘッジと見なすこと
ができるという立場でこの問題を処理している（イディオムの
原理）。その理由は、Fleischer (1982) が説くように、慣用句がイゾ
トピー（同位元素性）のようなテキスト内の様相パラメータを
特別な方法で識別することができると考えているからである。
　これにより、Montague Grammar のイディオム分析は、拡張さ
れることになる。なお、Fleischer (1982) は、イディオム性を語彙
の構成要素の意味と文全体の意味の間に存在する不規則な関係

としている。

　HPSGをツールとした他のイディオム分析にErbach and Krenn
(1993)がある。コロケーション*を前提にイディオムが議論され
ており、特にKapitel 2「量化の内容」の中で記述した数量詞継
承原理（Quantifier Inheritance Principle(QIP)(5)）がイディオム分
析の鍵になっている。まず、全体の表現の特性と見なされるイ
ディオム(a)は、分析不能(unanalyzable)として分類され、一方、
部分的な修飾や指示的な使用が可能なためイディオムの一部に
意味が割り当てられるべきもの(b)は、隠喩的(metaphoric)とし
て分類されている。

(a)　den Löffel abgeben.（さじを投げる、つまり、あきらめる）

(b)　in den Sauce Apfel beißen.（嫌な仕事をする）

　(a)は、直接意味が割り当てられていて、(b)は、「嫌な仕事」
とden Sauce Apfel（アップルソース）間および「行う」とbeißen
（噛む）の間にある種の連結を作ることで理解される。
　次に、受動化や修飾といったイディオムの統語特性が取り上
げられている。通常、VPを形成するイディオムは、受動化でき
る。しかし、それによってイディオムの意味合いが薄れることが
ある。

(c)　Hans gibt den Löffel ab.

(d)　Der Löffel wird von Hans abgegeben.（イディオム性は薄れる）

　修飾が可能な場合も（例えば、sprichwörterlich）、イディオム

性が薄れる。

(e) Er gab den sprichwörtlichen Löffel ab（イディオム性は薄れる）

　逆に、隠喩的なイディオムの構成要素が修飾されても、イディオムの意味合いは薄れない。

(f) Hans macht große Augen.（じろじろ見る）
(g) Hans macht ganz große Augen.

　つまり、Erbach and Krenn (1993) は、統語特性の計算はできても、構成要素の意味を結合する通常の関数では意味特性の計算はできないと述べている。

　そこで、QIP(h) を修正していく。分析不能なイディオム（例えば、die Leviten lesen: きつく叱る）に含まれている固定要素の die Leviten は、ユダヤ教の聖典（旧約聖書レビ記）とある種の意味関係を持っていると連想するであろう。しかし、これは、イディオムを理解する上で言語外的なことである。QIP は、意味の役割を担っていない場合でも、量化表現がリストに記述されなければならないことを義務づけている (i)。それ故、こうしたイディオムを語彙登録する場合、固定要素 die Leviten の意味を無視できるように、意味の役割は担っていないことを数量詞のリストに追記していく (θ–Role nil)(j)。

(h) QIP

　検索される数量詞の外に意味の役割 (θ–role) がある娘の QSOTRE 値は、句の接点の QUANTIFIER-STORE (QSTORE) 値

により結びつく。

(i)

PHON lesen

SYNSEM/LOC ⎧ CAT ⎧ HEAD verb
⎪ ⎨ SUBCAT <NP[nom]_{[1]}, NP[dat]_{[2]},
⎪ ⎩ NP[die Leviten]>
⎨
⎪ CONT ⎧ REL lecture
⎪ ⎨ LECTURER[1]
⎩ ⎩ LECTURED[2]

(j)

PHON lesen

SYNSEM/LOC ⎧ CAT ⎧ HEAD verb
⎪ ⎪ <NP[nom, θ-Role agent]_{[1]},
⎪ ⎨ SUBCAT NP[dat, θ-Role patient]_{[2]},
⎪ ⎩ NP[die Leviten, θ-Role nil]>
⎨
⎪ CONT ⎧ REL lecture
⎪ ⎨ LECTURER[1]
⎩ ⎩ LECTURED[2]

　隠喩的なイディオム (ins Fettnäpfchen treten: うっかりしたこと
をいって嫌われる) についても、修正が必要である。但し、こ
の場合は、主要部の語彙素がFettnäpfchenであるということを指
定すればよい。つまり、数、限定、量化に関して制限がないた

め、量化(k)や修飾(l)が掛かる固定要素に対して独立した意味を
割り当てることになる。例えば、Fettnäpfchen の場合は、treten 以
外の動詞とも結びつくからである (m)。(Erbach and Krenn 1993)
そのため、固定要素に量化とか修飾が可能なイディオムは、個々
の構成要素（Fettnäpfchen と treten）に転用される意味を割り当
てて、それらの意味を構成的に結びつけるように処理していく。

(k) Sie muß in jedes diplomatische Fettnäpfchen treten.
    （彼女は、外交面でくだらないことをいって嫌われるに違い
    ない。）

(l) In welches Fettnäpfchen wird sie diesmal treten?
    （今回、彼女はどういうくだらないことをいうのであろうか。）

(m) Sie läßt kein Fettnäpfchen aus.
    （彼女は、油の入った鉢を取り除かない。）

解説11

Pollard and Sag (1994) は、修飾語の分析に関連し、関係詞節の主要部がSELR (Subject Extraction Lexical Rule)* により空の出力となる例を上げている（解説14も参照すること）。

(a) Every man who likes a rival.

(b)

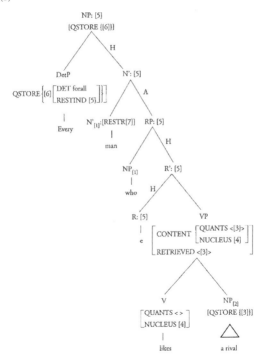

数量詞 [3] は、関係詞節においてVPレベルで検索される。つまり、数量詞 [3] は、上位のレベルで検索することができない。それは、上図の上位のレベルでは、CONTENT値がpsoaというよりもむしろnpro (nonpronominal) になるためである。それ故、空の関係詞節に対応するCONTENT[5] は、R'、RP、上位のN'および根のNP (noun phrase) と共有になる。但し、意味の原理（解説4）は、遵守しなければならない。意味の主要部は、主要部の娘 (head-daughter:H) または付加語の娘 (adjunct-daughter:A) のどちらかとして示される。

Kapitel 4　文脈の情報

1　背景となる条件

要約 テキストの情報を処理する場合、当然のことながら文脈を意識する必要がある。テキストの情報は、話し手、聞き手、発話の状況および背景といった要素が一つになって動いていく。そこにはもちろん、ことば以外の様々な要素が関連してくる。それを解き明かすことは、筆者の手に負えることではない。従って、ここではあくまで試案として、言語外の要素のうち作家の推論を取り上げ、Thomas Mann のイロニーを考察していく。どのような小説にも作家の推論が残っており、また、ここまで見てきた HPSG も論理の推論と整合性が良い理論といえるからである。

☞ キーワード
文脈処理、文脈依存、文脈変換

Zuerst handelt es sich um das CONTEXT Attribut. Der Wert des Attributes nimmt zwei Attribute C-INDICES und BACKGROUND. Die C-INDICES Werte werden für viele Attribute spezifiziert, die die linguistische wichtige Information über die Zustände einer Äußerung wie z.B. SPEAKER, ADDRESSEE und UTTERANCE-LOCATION (U-LOC) geben. Das BACKGROUND Attribut nimmt eine Menge von psoas für die angemessenen Bedingungen, die mit einer Äußerung eines gegebenen Types einer Phrase verbunden werden. Die Objekte eines Kontextes werden illustriert wie folgt. (Pollard and Sag 1994)

(39)

$$
\left\{
\begin{array}{ll}
\text{C-INDICES} & \left\{
\begin{array}{l}
\text{SPEAKER}[1]\text{ref} \\
\text{ADDRESSEE}[2] \text{ ref} \\
\text{U-LOC}[3]\text{ref}
\end{array}
\right\} \\[2em]
\text{BACKGROUND} & \{[4]\text{psoa}\ldots\}
\end{array}
\right\}
$$

context

Zum Beispiel weiß man, daß ein gegebener Satz alle Hintergrund-bedingungen der Bestandteile erwirbt. Die einfachste Weise für die Analyse würde das folgende Prinzip begrüden.

(40) Kontextuelles Konsequenzprinzip

Der CONTEXT/BACKGROUND Wert einer gegebenen Phrase ist die Vereinigung der CONTEXT/BACKGROUND Werte der Töchter.

Das Prinzip in (40) verlangt, daß alle kontextuellen Annahmen als ein Teil der Menge von Hintergrundbedingungen wie (41) übernommen werden. (Pollard and Sag 1994)

(41)

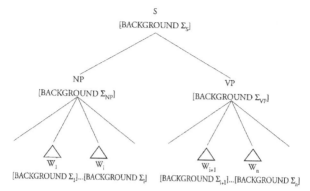

$$\Sigma_S = (\Sigma_{NP} \cup \Sigma_{VP}) = (\Sigma_1 \cup \ldots \cup \Sigma_i \cup \ldots \cup \Sigma_n)$$

Das Prinzip in (40) ist doch eine ganz starke Theorie über die Präsuppositionsübernahme. Das heißt, es erscheint inkorrekt zu sein, weil es keine Ausdrücke erlauben kann, die die Übernahme der Präsuppositionen systematisch versperren, die mit einer partiellen Äußerung verbunden werden. Der Unterschied zwischen (42) a und (42)b besteht darin, daß nur jener als eine Präsupposition die Proposition hat, die durch (42) c ausgedrückt wird.

(42) a. Hans Castorp bedauert, daß Joachim Ziemßen krank ist.

    b. Wenn Joachim Ziemßen krank ist, dann Hans Castorp bedauert, daß Joachim Ziemßen krank ist.

    c. Joachim Ziemßen ist krank.

Um das Problem zu lösen, handelt es sich hier um das allgemeine

System für kontextuelle Information. Die Streichung der Präsuppositionen trägt eine Ähnlichkeit mit der Entlassung der Quantoren aus QSTORE Werten. In der Tat ist es ähnlich der Entlassung von NONLOCAL Werten, die in der Analyse der Bedingung von SLASH und REL Dependenzen* betrachtet werden, wenn das Prinzip für kontextuelle Konsequenz geschieht, die die spezifischen Elemente wie z.B. plugs in Karttunen (1973) erlaubt,* um einen Mitgliedern aus der übernommenen Menge angemessener Bedingungen zu entlassen. Das ist doch keine absolute Sache.

Ferner beschreibt Pollard and Sag (1994) deiktische Sprach-erscheinungen. Jedes Wort einer Äußerung führt die kontextuellen Parameter ein, die wichtig für die Interpretation der deiktischen Ausdrücke sind. In der traditionellen Denkweise wird kontextuelle Information in die modelltheoretische Semantik der natürlichen Sprache gebracht. Allerdings ist sie der feinen Natur der deiktischen Kontextdependenz nicht gerecht. HPSG identifiziert den C-INDICES Wert aller Töchter in einer gegebenen Phrase mit dem Wert der Mutter wie (43).

(43)

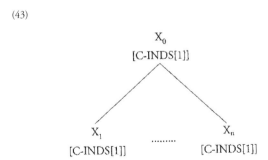

Pollard and Sag (1994) nimmt an, daß jeder Teil einer Äußerung den eigenen C-INDICES Wert hat and daß das gemeinsame Charakter zwischen solchen Werten auf die Natur von Äußerungen zurückgeführt wird. Das heißt, alle wichtigen Informationen über C-INDICES Werte werden innerhalb einer Äußerung identifiziert. Die ganzen Werte von C-INDICES wie (43) werden zwar identifiziert, aber es ist unabhängig von der Bedingungen im linguistischen System. Solche Bedingungen werden aufgrund typischer Eigenschaften von discourse situation - Tendenzen außerhalb Sprachen -unterstützt.

Im nächsten Kapitel wird die logische Folgerung als ein Werkzeug außerhalb natürlicher Sprache angenommen, weil dieses Buch die Ironie Thomas Manns thematisiert. Unter der Voraussetzung, daß seine Ironie konsequent mit fuzzy reasoning wäre (siehe Teil 2), wird es betrachtet, wie kontextuelle Information mit der logischen Folgerung behandelt werden kann.

　HPSGによる文脈の処理について説明する。Pollard and Sag (1994)は、文脈を処理するためにCONTEXTという属性を使用する。この属性値は、C-INDICESとBACKGROUNDという2つの属性を取る。C-INDICESの値は、発話状況に関し言語上重要な情報を与える属性に対して指定される。例えば、それは、話し手、聞き手、発話の場所などである。BACKGROUND属性は、発話に関する適性条件と見なされるpsoaの集合を値として取る。文脈の対象は、(39)の構造である。

　この分析により、文章は、構成要素の背景にあるすべての条件を獲得でき、それを保証するために文脈一貫性の原理(40)が立てられる。これによると、句のCONTEXT|BACKGROUND値は、娘のCONTEXT|BACKGROUND値の結合になる。(40)の原理は、発話のあらゆる部分と関連する文脈上の仮定が、発話と関連する背景の条件の一部として継承されることを要求している（41を参照すること）。

　しかし、この理論は、強すぎるという欠点がある。なぜなら、発話の特定部分と関連する前提の継承を体系的に阻止する表現には適応できないからである。有名な該当例として、Karttunen (1973)を挙げておく。詳細については、66頁の注釈にあるKarttunen（1973）の説明を参照すること。

　HPSGは、この問題を文脈情報に対する一般的な枠組みで処理している。前提の削除は、前節で議論したQSTOREの値から数量詞を削除することに似ている。実際に、NONLOCALの素性値の削除もこれに該当する例といえよう。HPSGによる分析では、SLASHの束縛やRELの依存関係などもこれに相応する。詳細については、解説13と解説14を参照すること。

解説13

　無限の依存関係 (Unbounded Dependency Construction:UDC) は、言語表現の痕跡を扱っており、強いものと弱いものに分類されている。例えば、Filler-Gap構造として有名な主題化は、痕跡を埋める構成要素が以下のようにはっきりとした強いUDCである(a)。痕跡とは、特殊な語彙項目のことであり、各接点に空の値を持った特殊な記号として現れる。この特殊な記号が痕跡である。(Pollard and Sag 1994)

(a) Clawdia₁, we know Engelhart dislikes _₁.

(b)

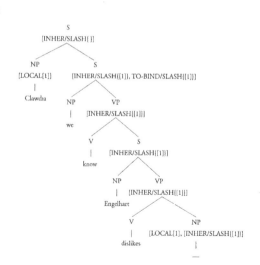

(b)の痕跡については、3つのポイントがある：底部、中間部、上部。(Pollard and Sag 1994) この例文の場合、最下位のVPが底部である。但し、底部における問題は、依存関係がどこにあるのかということであり、中間部は、娘から親へと継続関係が上昇していく。そして最上位のSでは、依存関係が解除される。

　ここで注意しなければならないことは、文法によって束縛が要求される場合と単に束縛が継続される場合（表層の痕跡は残るから）がある点である。これは、SLASH値の集合の中でそこからさらに上昇しない要素が存在するためである。そのため、HPSGは、次のような原理を採用している。

(c) Nonlocal素性原理

　それぞれのNonlocal素性に関し、親のINHERITED値は、主要部の娘のTO-BIND値を除いた娘のINHERITED値の集合になる。(Pollard and Sag 1994)

　一方、弱いUDSの場合、痕跡を埋めるための構成要素fillerがはっきりとは現れない。また、痕跡とそれを埋めるための構成要素fillerが同じ格にならないこともある(d)。

(d) $Hans_1$, (nom) is easy to please $_1$ (acc).

(e)

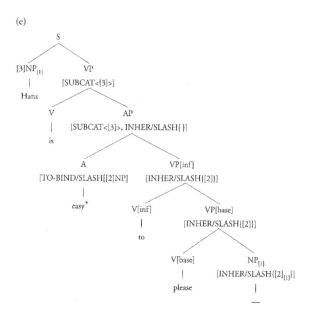

　痕跡に対応する SLASH 値は、不定詞句 VP を越えて継承されることはない。これは、この VP の親になる AP 主要部の娘 easy が、VP 不定詞句における SLASH 値の束縛を指定するからである。また、HPSG は、(d) のような格の違いを統語特性ではなく、指示指標を特定する問題として処理している。(Pollard and Sag 1994)

解説14

　無限の依存関係 (UDC) を含む言語表現として関係詞句 (relative clause) も分析されている。(Pollard and Sag 1994)

71

(a)

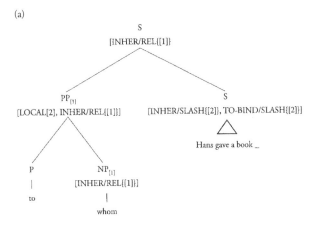

　関係詞句(a)には、2つの依存関係が同時に存在する。一つは、REL属性によりコード化される依存関係であり、また一つは、SLASH属性によりコード化されるfiller-gapの依存関係である。しかし、これだけでは、wh関係詞句の説明として不十分である。無限の依存関係(UDC)の上部には、さらに前章で議論したような属性MODに対する空でない値がある。つまり、(a)は、もう一回り大きな構造として見る必要がある。

(b)

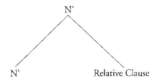

　関係詞句の構造は、一般的に(b)になる。親のN'のINHER/
REL値は、閉じているために空になるのでダッシュの数は増え
ない。また、属性MODのために空でない値を簡単に示すには、
関係詞句の主要部として役割を果たす音声的に空の補文化子
(complimentizer:comp)を設定すればよい。(Pollard and Sag 1994)
HPSGは、compと区別するためにそうした要素を関係文化子
(relativizer:rltvzr)と読んでいる。

(c)

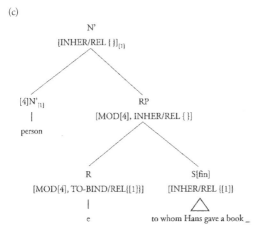

このような主要部－付加語の構造で、関係詞句のMOD値は、主要部の娘のSYNSEM値と構造を共有していなければならない。N'主要部の指標は、関係文化子rltvzrのTO-BIND/REL値と関係文化子rltvzrのS補文のINHER/REL値と同一になる。こうした現象は、解説13に記述されているNonlocal素性原理を十分に反映している。(Pollard and Sag 1994)

解説15

　HPSGは、前提の問題に関連して文脈変換という概念を扱っている。これは、Groenendijk and Stokhof(1979)とBallmer (1979)によって定義された。Groenendijk and Stokhof(1979)は、文脈を個人間の主張と見なし、ある表現が文脈中のパラメータにより実現する概念を指して文脈変換と呼んでいる。一方、Ballmer (1979)は、Ranta (1991)と同様に、文脈変換の論理を直感主義論理へ拡張している。詳細については、Kapitel 4-3「直感主義論理によるドイツ語の文法」を参照すること。

解説16

　論理文法は、指示語をモデル理論的意味論の枠組みで扱ってきた(Montague Dexix*)。しかし、HPSGは、指示語がもつ微妙な文脈依存の関係をモデル理論で議論すること自体に無理があるとして、上述した句の中のすべての娘のC-INDICES値が親と同一視できるという立場を主張する（43を参照すること）。
　しかし、これもまだ指示的な発話が持つ複雑な特徴を処理する上で十分適しているとはいえないとし、発話の各部分（語彙素）がそれ自体のC-INDICES値を持ち、こうした値間に存在す

る共通性が単に発話の性質によるものだと説明している。簡単
にいえば、C-INDICES 値に含まれる重要な情報は、発話内で特
定されると考えられている。

2 バージングとシュガーリング - 断片的なドイツ語の文法

要約 小説の中の作家の推論を考察するために、自然言語と論理言語間の翻訳技法を説明する。例えば、Montagueは、PTQの中で樹形図から論理式への翻訳と自然言語の表現を導くシュガーリングという操作を採用した。このステップを踏むことにより、テキストのダイナミズムを論理言語によって処理する方法が次第につかめてくる。同時に、Thomas Mannのイロニーが少しずつ論理文法とマージしていく。

☞ **キーワード**
シュガーリング、DPL、DRT、テキストのダイナミズム

Alle Wahrheitsbedingungen können durch eine Formel der Prädikatenlogik erster Stufe nicht ausgedrückt werden. Der Satz

(44) Hans Castorp sucht eine Frau.

hat nur eine Darstellung.

(45) (∃x) (Frau (x) und suchen (Hans Castorp, x))

Deswegen erweiterte Montague die Prädikatenrechnung für die intensionale Logik, in der die Referenz zur möglichen Welt gemacht werden kann und mit den willkürlichen Varianten verbunden werden kann. Dann hat der Satz (44) die Formalisierung (46).

(46) Suchen($^\wedge$Hans Castorp, $^\wedge$P($\exists$x) (Frau*(x)und P{$^\wedge$x}))

Das wird als eine Lesart von de dicto* angesehen. Neben der intensionalen Logik gibt es analytische Bäume in der Montague Grammatik. Im Formalismus der analytischen Bäume wird der Satz (44) in zwei Arten betrachtet wie folgt.

(47) $F_{10,0}$ (F_2 (Frau, F_4(Hans Castorp, F_5 (suchen, he$_0$))))

(48) F_4 (Hans Castorp, F_5 (suchen, F_2 (Frau)))

Die Montague Grammatik ist generativ. Zuerst definiert sie die analytischen Bäume und erklärt, wie die Bäume in englische Sätze übersetzt werden. Dieser Prozeß, der ein Gegenteil von Parsing ist, heißt Sugaring in der Computerlinguistik. (Ranta 1991)

Zum Beispiel kann ein einfacher Baum für Parsing illustriert werden wie folgt. (Pereira and Shieber 1987) Zuerst wird die kontextfreie Grammatik in (49) gegeben und in einigen Programmen wie (51) axiomatisiert. Der normale Begriff für eine kontextfreie Regelung ist $N_0 \longrightarrow V_1...V_n$, wo N_0 kein letztes Wort ist und V_1 kein letztes Wort oder ein letztes Wort ist. Solche Regelung hat die folgende informelle Interpretation. Wenn Ausdrücke $w_1...w_n$ zu $V_1...V_n$ passen, dann hat der einzigartige Ausdruck $w_1...w_n$ (die Verkettung des Ausdrucks w_i) selbst einen Ausdruckstyp N_0. Nun wollen wir die folgende kontextfreie Grammatik annehmen:

(49) S → NP VP (sentence)

NP → Det N OptRel (noun phrase)

OptRel → Empty string (optional relative clause)

VP → TV NP (transitive verb phrase)

VP → IV (intransitive verb phrase)

PN → Hans Castorp (proper noun)

PN → Clawdia Chauchat (proper noun)

Det → ein (determiner)

N → Programm (noun)

IV → hält (intransitive verb)

TV → schreibt (transitive verb)

(50)

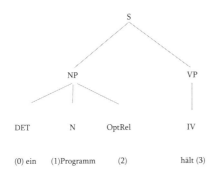

(0) ein   (1)Programm   (2)   hält (3)

Es ist hier zu bemerken, daß die allgemeine Form für Axiomatisierungs-regelungen selbst in bestimmten Nebensätzen liegt. Das kann direkt in Prolog* dargestellt werden.

(51) Programm

S (P_0, P):- NP (P_0, P_1), VP (P_1, P).

NP (P_0, P):- Det (P_0, P_1), N (P_1, P_2), OptRel (P_2, P).

VP (P_0, P):- V (P_0, P).

OptRel:- (P, P).

Det (P_0, P):- connects (ein, P_0, P).

N (P_0, P):- connects (Programm, P_0, P).

IV (P_0, P):- connects (hält, P_0, P).

Das Literal connects (Terminal, $Position_1$, $Position_2$) wird verwendet, um zu zeigen, daß das Symbol Terminal zwischen $Position_1$ und $Position_2$ liegt. Wenn das Prädikat connects gegeben wird, kann ein Ausdruck dadurch axiomatisiert werden, um darzustellen, daß das letzte Symbol in der Kette "ein Programm hält" die Kettenpositionen miteinander verbindet.

(52) connects (ein, 0, 1).

connects (Programm, 1, 2).

connects (hält, 2, 3).

Die Axiomatisierung der Ausdrücke und der kontextfreien Grammatiken erlaubt einem Beweisverfahren von Horn-clause*, eine Rolle als eine Art von Parser zu spielen. Das Beweisverfahren von Prolog gibt einen Parsingsmechanismus wie z.B. top-down und left-to-right. (Pereira and Shieber 1987) Solche Axiomatisierung der Grammatik ist wichtig, wenn ein Baum für Parsing eine Art von Beweis der Grammatikalität eines Ausdrückes vorbereitet.

(53)

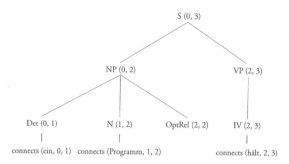

Dann wird eine Semantik für das deutsche Fragment spezifiziert. Eine entsprechende Regelung für die Subkonstituenten in der logischen Form wird mit jeder kontextfreien Regelung verbunden.

(54) S → NP VP

(55) Semantische Regelung 1

Wenn die logische Form für NP NP' ist und die logische Form für VP VP' ist, dann ist die logische Form für S VP' (NP').

(56) VP → TV NP

(57) Semantische Regenlung 2

Wenn die logische Form für TV TV' ist und die logische Form für NP NP' ist, dann ist die logische Form für VP TV'(NP').

Als ein Beispiel wollen wir "Hans Castorp sieht Clawdia Chauchat" betrachten. Jede logischen Formen für "Hans Castorp" und "Clawdia Chauchat" sind Hans Castorp' und Clawdia Chauchat'. Die logische Form für das transitive Verb "sieht" ist der Lambdaausdruck λx.λy.sieht' (y, x).

Durch die Regelung in (57) wird die VP "sieht Clawdia Chauchat" mit dem Ausdruck (λx.λy.sieht' (y, x)) (Clawdia Chauchat') verbunden, die durch ß-Reduktion* gleichbedeutend mit λy. sieht' (y, Clawdia Chauchat') ist. Durch die Regelung in (55) wird der Satz "Hans Castorp sieht Clawdia Chauchat" mit der logischen Form (λy.sieht' (y, Clawdia Chauchat')) (Hans Castorp') verbunden, die durch ß-Reduktion gleichbedeutend mit sieht' (Hans Castorp', Clawdia Chauchat') ist. Die Ableitung kann im folgenden Baum für Parsing zusammengefaßt werden.

(58)

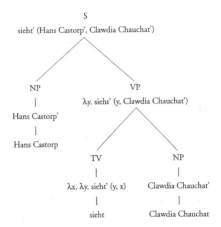

Die Wichtigkeit der Montague Grammatik besteht nicht nur in der ausdrucksvollen Kraft ihres Formalismus, sondern auch in ihrer ausführlichen Erklärung über die Beziehung zwischen dem englischen Fragment und dem Formalismus. Allerdings hat die Grammatik keine Formalisierung für die englische Sprache, sonderen die Regelungen für Sugaring in die Sprache und die Übersetzung in die intensionale Logik. Die analytischen Bäume konstituieren die formale Sprache. Das Fragment wird durch Sugaring bekommen. Die folgende Figur zeigt die Struktur der PTQ - Grammatik.

(59)   Sugaring

  Analytische Bäume   →   Englisch

    ↓   Übersetzung

  Intensionale Logik

Die Montague Grammatik wird manchmal als kompositional betrachtet, wenn sie dafür gehalten wird, daß jeder englische Ausdruck eine definitive Übersetzung in die intensionale Logik hat und wenn die Übersetzung jedes komplexen Ausdrucks durch die Übersetzung seiner Teile bestimmt wird. Statt der einfachen englischen Sprache erwähnt der Ausdruck auch die analytischen Bäume. Das macht zwar die Kompositionlität trivial. Aber es ist besser, sie nicht so stark zu denken, wenn zwei verschiedenen Formalismen wie z.B. syntaktisch und logisch vergleicht werden und wenn der logische Formalismus besonders zur Fuzzy Logik führt (siehe Teil 2).

Um eine dynamische Darstellung zu formalisieren, wird manchmal die Erweiterung vom PTQ - Fragment zur Konditionalsatz diskutiert, weil man erklären kann, warum es keine Möglichkeit gibt, wenn die analytischen Bäume in solcher Weise definiert werden und wenn die Übersetzung in die intensionale Logik dafür gehalten wird, die Konstituente der analytischen Bäume einzigartig zu nehmen.

(60) Wenn ein Mann spazierengeht, schwitzt er.

Der Satz kann befriedigend nicht betrachtet werden, weil es keinen analytischen Baum gibt, der als Sugaring zu (60) angesehen und in die intensionale Logik wie (61) übersetzt wird.

(61) $(\forall x)(\text{Mann}\ (x)\ \&\ \text{spazierengehen}\ (x) \supset \text{schwitzen}\ (x))$

Der Satz enthält den indefiniten Artikel "ein". Aber wenn der analytische Baum in die intensionale Logik übersetzt wird, wird F_2 in etwas übersetzt, was nicht $\forall$, sondern $\exists$ enthält. Die Formalisierung wird als eine Verletzung der Kompositionalität für einen derivativen Grund angesehen. Es handelt sich darum, ob man sowohl den Existenzquantor als auch den Allquantor interpretieren könnte. Zum Beispiel kann der Satz (62) als (63) formalisiert werden.

(62) Wenn ein Mann spazierengeht, denkt er eine Krankheit.

(63) $(\forall x)(\text{Mann}\ (x)\ \&\ \text{spazierengehen}\ (x) \supset (\exists y)(\text{Krankheit}(y)\ \&\ (\text{denken}(x, y)))$

Tatsächlich ist es unmöglich, wenn der indefinite Artikel einzigartig dargestellt wird. Daher nahm Groenendijk and Stokhof (1991) Kampsche Theorie (Kamp1984) an, die "discourse representation theory (DRT)" genannt wurde, und weiste darauf hin, daß die Kompositionalität in

DRT etwas anderes als Fregesche Kompositionalität in der Montague Grammatik war. DRT bereitete ein vermitteltes Niveau vor, das einen Formalismus konstituierte, dessen Semantik in die Prädikatenrechnung übersetzt wurde.

Groenendijk and Stokhof(1991) entwickelte weiter auch eine andere Art von Formalismus, der "dynamic predicate logic (DPL)" genannt wurde, um die grammatischen Strukturen von Sätzen und Texten darzustellen. Das enthält auch ein vermitteltes Niveau. Allerdings konstruiert DPL eine alternative kompositionale Semantik über den Diskurs.

In den Achtzigerjahren wurde es in der modelltheoretischen Semantik so angenommen, daß das Prinzip der Kompositionalität beseitigt werden sollte. In der Tat nahmen die verschiedenen Ansätze zur modelltheoretischen Semantik über den Diskurs als ein Ausgangspunkt keine Kompositionalität an. Das war wirklich ein Hindernis, wenn man die neueren Ansätze mit den älteren Ansätzen vergleichte.

Wollen wir hier DPL mit DRT nur etwas vergleichen. DPL hat zwar die Absicht, empirisch equivalent zu DRT zu sein, aber es gibt folgende Unterschiede zwischen beiden Theorien. Zuerst wird der syntaktische Unterschied zwischen den Bedingungen und DRS (discource representation structure) gemacht. In DRS werden die Sätze und Diskurse einer natürlichen Sprachen dargestellt. Die Bedingungen sind die Elemente, die durch DRS konstruiert werden. Mit anderen Worten erscheinen die Bedingungen als die Subausdrücke von DRS. *

(64) Definition der DPL-Syntax

    1. Wenn $t_1...t_n$ individuelle Konstanten oder Variablen sind und R ein n-stelliges Prädikat ist, dann ist $Rt_1...t_n$ eine Formel.

    2. Wenn t_1 und t_2 individuelle Konstanten oder Variablen sind,

dann ist t$_1$ = t$_2$ eine Formel.

3. Wenn ϕ eine Formel ist, dann ist ¬ϕ eine Formel.

4. Wenn ϕ und ψ Formeln sind, dann ist [$\phi \wedge \psi$] eine Formel.

5. Wenn ϕ und ψ Formeln sind, dann ist [$\phi \vee \psi$] eine Formel.

6. Wenn ϕ und ψ Formeln sind, dann ist [$\phi \rightarrow \psi$] eine Formel.

7. Wenn ϕ eine Formel ist und x eine Variable ist, dann ist $\exists$ x ϕ eine Formel.

8. Wenn ϕ eine Formel ist und x eine Variable ist, dann ist $\forall$ x ϕ eine Formel.

9. Eine Formel ist nichts als der Grund 1-8.

Das unlogische Vokabular von DPL besteht aus n-stelligen Prädikaten, individuellen Konstanten und Variablen. Die logischen Konstanten sind Negation ¬, Konjunktion $\wedge$, Disjunktion $\vee$, Folgerung $\rightarrow$, Existenz-quantor $\exists$, Allquantor $\forall$ und Identität =. Somit ist die Syntax von DPL die Syntax der normalen Prädikatenlogik.

(65) Definition der DRT-Syntax

1. Wenn t$_1$...t$_n$ individuelle Konstanten oder Variablen sind und R ein n-stelliges Prädikat ist, dann ist Rt$_1$...t$_n$ eine Bedingung.

2. Wenn t$_1$ und t$_n$ individuelle Konstanten oder Variablen sind, dann ist t$_1$ = t$_2$ eine Bedingung.

3. Wenn ϕ eine DRS ist, dann ist ¬ϕ eine Bedingung.

4. Wenn ϕ und ψ DRSn sind, dann ist [$\phi \vee \psi$] eine Bedingung.

5. Wenn ϕ und ψ DRSn sind, dann ist [$\phi \rightarrow \psi$] eine Bedingung.

6. Wenn ϕ_1... ϕ_n (n = 0) Bedingungen sind und x$_1$...x$_k$ Variablen (k = 0) sind, dann ist [x$_1$...x$_k$][x$_1$...x$_n$] eine DRS.

7. Eine Bedingung oder eine DRS ist nichts als der Grund 1-6.

Das unlogische Vokabular besteht aus n-stelligen Prädikaten, individuellen Konstanten und Variablen. Die logischen Konstanten sind Negation ¬, Folgerung → und Identität =.

Der zweite Unterschied zwischen der DPL- und der DRS-Sprachen besteht darin, daß dieser zwar Negation, Folgerung und Disjunktion, aber keine Konjunktion und keine Quantoren enthält.

(66) Definition der DPL-Semantik

1. $[[Rt_1...t_n]] = \{<g,h>|h = g \ \& \ <[[t_1]]_h...[[t_n]]_h>\in F(R)\}$.
2. $[[t_1...t_2]] = \{<g,h>|h = g \ \& \ [[t_1]]_h = [[t_2]]_h\}$.
3. $[[\neg\phi]] = \{<g,h>|h = g \ \& \ \neg\exists k:<h,k>\in[[\phi]]\}$.
4. $[[\phi \wedge \psi]] = \{<g,h>|\exists k:<g,k>\in[[\phi]] \ \& \ <g,k>\in[[\psi]]\}$.
5. $[[\phi \vee \psi]] = \{<g,h>|h = g \ \& \ \exists k:<h,k>\in[[\phi]] \ v \ <h,k>\in[[\psi]]\}$.
6. $[[\phi \rightarrow \psi]] = \{<g,h>|h = g \ \& \ \forall k:<h,k>\in[[\phi]]\Rightarrow\exists j:<k,j>\in[[\psi]]\}$.
7. $[[\exists x\phi]] = \{<g,h>|\exists k: \ k[x] \ g \ \& \ <k,h>\in[[\phi]]\}$.
8. $[[\forall x\phi]] = \{<g,h>|h = g \ \& \ \forall k: \ k[x]h\Rightarrow\exists j:<k,j>\in[[\phi]]\}$.

Ein Modell ist ein Paar <D, F>, wo D eine nicht-leere Menge von Individuen ist. F ist eine Funktion der Interpretation, die als den Definitionsbereich die individuellen Konstanten und Prädikaten hat. Wenn α eine individuelle Konstante ist, dann $F(\alpha)\subseteq D$; wenn α ein n-stelliges Prädikat ist, dann $F(\alpha)\subseteq D^n$. Eine Zuweisung g ist eine Funktion, die jeder Variable ein Individuum zuweist: $g(x)\in D$. G ist die Menge aller Zuweisungsfunktionen. Dann wird $[[t]]_g = g(t)$ definiert, wenn t eine Variable ist, und $[[t]]_g = F(t)$, wenn t eine individuelle Konstante ist. Schließlich wird die Funktion für die Interpretation $[[\ ]]^{DPL}_M \subseteq G \times G$ definiert (M ist maximal).

(67) Definition der DRT-Semantik

1. $[[Rt_1...t_n]]^{Cond} = \{g|<[[t_1]]_g...[[t_n]]_g>\in F(R)\}$.

2. $[[t_1=t_n]]^{Cond} = \{g|[[t_1]]_g=[[t_2]]_g\}$.

3. $[[\neg\phi]]^{Cond} = \{g|\neg\exists h:<g,h>\in[[\phi]]^{DRS}\}$.

4. $[[\phi \vee \psi]]^{Cond} = \{g|\exists h:<g,h>\in[[\phi]]^{DRS}\vee<g,h>\in[[\psi]]^{DRS}\}$.

5. $[[\phi \rightarrow \psi]]^{Cond} = \{g|\forall h:<g,h>\in[[\phi]]^{DRS}\Rightarrow\exists k:<h,k>[[\psi]]^{DRS}\}$.

6. $[[x_1...x_k][\phi_1...\phi_n]]^{Cond}=\{<g,h>|h[x_1...x_k]g$ & $h\in[[\phi_1]]^{DRS}\&...\&$ $h\in[[\phi_n]]^{DRS}\}$.

Hier entspricht $<g,h>\in[[\phi]]^{DRS}$ dem Begriff "h ist eine bestätigende Einbettung von ϕ bezüglich g". Da DRS durch die Bedingungen gebildet wird, braucht man einen Begriff der Interpretation der Bedingung $[[\;]]^{Cond}_M \subseteq G$ zu definieren (M ist maximal), wo $g \in [[\phi]]^{Cond}$ dem Begriff "ϕ ist wahr bezüglich g" entspricht.

Das Modell für die DRS-Sprache ist identisch mit DPL. Die Zuweisung und die Interpretation der Terminologien werden auch in den beiden Theorien in gleicher Weise behandelt. Allerdings ist die DPL-Formel etwas anderes als die Bedingung von DRT. Das heißt, DPL hält die Zuweisungen für die totalen Funktionen. Deswegen könnte die Semantik von DPL auch bezüglich der partiellen Zuweisungen begleitet werden.

Um die Semantik einschließlich Diskurs oder Text in einem Übersetzungsprogramm zu behandeln, wollte man einen Text in der Art und Weise wie Processing interpretieren können. Die Kompositionalität war zwar ein intuitiver Weg. Manchmal postulierte doch die nicht- kompositionle Semantik eine vermittelte Ebene zwischen der syntaktischen Form und der eigentlichen Bedeutung für die semantischen Darstellungen wie z.B. Anapher. Das heißt, viele Semantiker nehmen den Standpunkt* an, daß der Unterschied zwischen den Anaphern noch mehr in der logischen

Form liegt als im Inhalt, trotzdem die Situation gleich ist und die Wahrheitsbedingung auch keinen Unterschied hat.

ここでは小説を通して作家の推論を考察するために、自然言語を論理言語で表現する（またはその逆の）方法を考える。有名な例は、MontagueがPTQの中で採用した翻訳技法シュガーリングである。この方法は、コンピュータ言語学でいうパージングの逆の処理になる。

Montagueは、一階の述語論理によってすべての真理条件が記述できない点を克服するために、可能世界により指示対象が決まる内包論理へと述語計算を拡張した。確かにこの方法は生成的である。まず、分析樹を定義し、次にそれを英語の文へ変換する。つまり、ここで曖昧でない構造が壊されていくことになる。この処理は、コンピュータ用語に相応してシュガーリングと呼ばれている。

Prolog*（宣言型言語で、何が計算されるのかが問題になる自然言語処理システム）などによるパージングは、その逆の処理である。ここでは、Montague Grammarとパージングによる言語処理の関係およびそれらの相互作用を見ていくことにしよう。こうしたステップを踏むことにより、Thomas Mannの推論自体がより具体的になっていくからである。また、次節と組み合わせて、テキストのダイナミズムを論理言語で処理する方法およびその発展の様子も簡単に説明する。

例えば、Pereira and Shieber (1987) は、(49)のような文脈自由の文法を定義し、それを(51)のようなプログラムによって公理化するパージングの方法を記述している。文脈自由の規則の標準的な概念は、$N_0 \rightarrow V_1 \cdots V_n$ であり、N_0は非終端、V_1は非終端また

は終端である。こうした規則は、非公式に次のような解釈を持っている。表現$w_1 \cdots w_n$が$V_1 \cdots V_n$に対応するならば、その唯一の表現$w_1 \cdots w_n$は、それ自体でN_0という表現タイプを持つことになる。こうして、ドイツ語の断片的な文脈自由文法(49)が決定する。(50)は、空の構成要素(OptRel)を含む解析樹である。公理化の規則に対応するこうした一般的な形式は、直接Prologの中に記述することが可能である。ドイツ語の断片に対応する公理化は、(51)のようになる。

ここで、文字列connects(Terminal, $Position_1$, $Position_2$)は、終端記号Terminalが連続する$Position_1$と$Position_2$の間に位置することを示している。述語connectsが与えられると、記号列 "ein Programm hält" の中の終端記号が位置を合わせることにより、ある表現が公理化される（52を参照すること）。文脈自由文法のこうした公理化により、Horn節の証明手続き（トップダウンなど）が、パーザーとしての役割を果たす。Horn節には、3つのタイプがある。1)形式がP_0の単一節で、結果が真になる、2)形式が$P_0v \neg N_0v \cdots$の非単一節で、前項が真の場合、結果が真になる、3)形式が$\neg N_0v \neg N_1v \cdots$の否定節で、前項の真を否定する。こうした文法の公理化は、分析樹が表現の文法性を証明する場合に重要になる（53を参照すること）。

次に、ドイツ語の断片に対応する意味論が特定される。対応する規則は、それぞれ文脈自由の規則と関係している。意味規則1(55)は、NPの論理形式がNP'で、VPの論理形式がVP'ならば、Sの論理形式はVP'(NP')になることを定義している。意味規則2(57)は、TVの論理形式がTV'で、NPの論理形式がNP'ならば、VPの論理形式は、TV'(NP')になることを定義している。"Hans Castorp sieht Clawdia Chauchat"を例として考えてみよう。

Hans CastorpとClawdia Chauchatの論理形式は、Hans Castorp'と

Clawdia Chauchat' である。そして、TVの sieht の論理形式は、ラムダ表現 λx.λy.sieht'(y, x) になる。意味規則2によって、VP "sieht Clawdia Chauchat" は、ß-還元 ((λx.F) a が [F]{x=a} と同意になるため、還元可能となる規則) により λy. sieht' (y, Clawdia Chauchat') と同意になる論理形式 (λx.λy.sieht' (y, x)) (Clawdia Chauchat') と関連づけられる。そして、意味規則1に従って、"Hans Castorp sieht Clawdia Chauchat" は、ß-還元に基づき sieht' (Hans Castorp', Clawdia Chauchat') と同意な論理形式 (λy. sieht' (y, Clawdia Chauchat')) (Hans Castorp') に関連づけられる。こうした派生の様子は、(58) にまとめられている。

解説19

Montague Grammar の意義は、表現力のある形式論およびそのような形式論と英語の断片との関係になる。つまり、分析樹の定義とシュガーリングによる英語の断片の表記 (59) が問題になり、内包論理への翻訳は、構成性 (フレーゲの原理) を基に進んでいく。但し、本書は、テキストとのマージを念頭に置いていることもあり、それほど強く構成性を意識することはない。

次に、ダイナミックな Montague Grammar と評される論理文法 DRT (discourse representation theory) と DPL (dynamic predicate logic) が登場する。それらの対象表現は、例えば、条件文である。しかし、どうして Montague Grammar の手法では、こうした表現の分析に可能性がないのであろうか。(60) は、不定冠詞を含んでいる。この分析樹が内包論理に翻訳されると、F2は存在限量詞を含むが、普遍限量詞は含まない形になる。これは、(60) から (61) への形式化が、派生上構成性の問題を含んでいるためである。つまり、Montague Grammar の手法を用いても普遍限量詞への翻訳は説明できない。

そこで、Kamp(1984)は、Montague Grammarとは異なる構成性を持った理論(DRT)を開発し、述語計算への翻訳により意味が決まる中間レベルの談話表示を提案した。Groenendijk and Stokhof (1991)は、その流れにのって、テキストまで含めた文法構造を表記するために、ダイナミックな述語論理(DPL)と呼ばれる形式論を採用した。統語論についていうと、DPLは、DRTより論理定項の数が多く、意味論は、モデルも用語の解釈も同じだが、割り当て関数の扱いに違いがある。つまり、DPLでは、割り当て関数が全体の関数として機能し、部分的な割り当てにも対応できるようになっている（64-67を参照すること）。

3 直感主義論理によるドイツ語の文法

要約 テキスト内のダイナミズムを処理するために、直感主義論理を導入する。直感主義論理は、その基礎にタイプ理論を持っており、ここでは、多形(polymorphic)のもの*を採用する。また、直感主義論理における範疇文法は、演算子（ΣやΠなど）を規定する役割がある。文法構造は、MontagueのPTQ*とは異なり、シュガーリングと意味の説明のための形式化が存在するだけである。対象表現は、単文、条件文そしてテキストになる。

☞ **キーワード**
直観主義のタイプ理論、レキシコン、範疇文法、シュガーリング

Die intuitionistische Logik wird in der Grammatik einer natürlichen Sprache kaum verwendet. Aber es handelt sich hier um die Formalisierung einer natürlichen Sprache in die intuitionistische Logik, weil der intuitionistische Beweis so ähnlich dem Begriff eines Computerprogramms ist. Ranta (1991) nimmt eine Grammatik eines englischen Fragments an, die ähnlich der Struktur von PTQ ist. Zuerst betrachtet Ranta (1991) die Quantoren und die Anaphern, und dann diskutiert zusätzlich die Dynamischheit eines Textes.

Ranta (1991) stellt auf Matin-Löf * hin die intuitionistische Typentheorie vor. Die intuitionistische Typentheorie hat die Ausdrücke für Propositionen.

(68) (Σx: A) B and (Πx: A) B.

Die Ausdrücke entsprechen (∃x) und (∀x) in der Prädikatenrechnung, die im Bereich A interpretiert wird. Der Unterschied besteht darin, daß die Typentheorie einen Bereich und/oder einen Urteil* (oder eine Behauptung) explizit macht. Die Typentheorie ist noch formaler als die Prädikatenrechnung. Der Bereich kann nur von der Interpretation verstanden werden. Der Urteil ist noch breiter in einem Skopus als die Proposition, die als ein Teil eines Urteils angesehen werden mag. (Ranta 1991)

(69)

Urteil	Wo	bedeutet daß
A: prop	–	A ist eine Proposition.
A=B: prop	A: prop, B: prop	A und B sind gleiche Propositionen.
a: A	A: prop	a ist ein Beweis von A.
a=b: A	A: prop, a: A, b: A	a und b sind gleiche Beweise von A.

Der Urteil einer Form "A ist eine wohlgeformte Formel" entspricht der Form "A:prop" und der Urteil einer Form "A ist wahr" entspricht der Form "a: A". Allerdings mag der Beweis für die Formalisierung einer Folge der Sätzen explizit gemacht werden.

(70) Ein Mann keucht.

wird formalisiert wie folgt.

(71) (Σx: Mann) keuchen (x).

Das entspricht der Formel der Prädikatenrechnung wie (72).

(72) $(\exists x)(\text{Mann } (x) \ \& \ \text{keuchen } (x))$.

Der große Bereich kann auch verwendet werden.

(73) $(\Sigma x: D)(\text{Mann } (x) \ \& \ \text{keuchen } (x))$.

Solche Form ist allerdings für die richtige Formalisierung der Ausdrücke wie "jeder" und "meist" gebraucht.

(74) Jeder Mann keucht.

(75) $(\Pi x:\text{Mann})$ keuchen (x).

Durch eine einfache Regelung (Q), die für Sugaring der quanti-fizierten Propositionen in die deutschen Sätze gegeben wird, und durch die Regelungen für Sugaring der atomaren Propositionen kann ein Satz (70) aus (71) abgeleitet werden. Die obengenannte Typentheorie ist poly-morphisch.

(76) $(\Pi x:\text{Patient}) \ (\Sigma y: \text{Thermometer})$ besitzen (x, y)
    > Jeder Patient besitzt einen Thermometer.

(76) ist ein Beispiel mit zwei Quantoren. Das Zeichen ">"zwischen zwei Ausdrücken wird als "can be sugared into" gelesen.

Die einfache Typentheorie ist überhaupt nicht genug für die formale Sprache. Um sie vollständig zu formalisieren, ist die reichere Typen-theorie* gebraucht. Wollen wir die folgenden Urteile betrachten. (Ranta

1991)

(77)

Urteil	Welche Voraussetzungen	bedeutet daß
α:type	–	α ist eine Type.
α=β: type	α: type, β: type	a und β sind gleiche Typen.
a: α	α: type	a ist ein Objekt von α.
a=b: α	α: type, a: α, b: α	a und b sind gleiche Objekte von α.

Alle Urteile können unter Hypothesen (x: α) gemacht werden, die den Variablen die Typen zuweisen. Ein Kontext ist eine Folge der Hypothesen, deren Form $x_1: \alpha_1 \ldots x_n: \alpha_n$ ist. Wenn ein Urteil J im Kontext gemacht wird, mögen Variable $x_1 \ldots x_n$ in J frei erscheinen. Wenn ein Urteil J im Kontext gemacht wird und Konstanten $a_1: \alpha_1 \ldots a_n: \alpha_n (a_1 \ldots a_{n-i}/x_1 \ldots x_{n-1})$ durch Variablen $x_1 \ldots x_n$ in J substituiert werden, ist ein Urteil unabhängig vom Kontext.

Wollen wir weiter Σ und Π auf dem höheren Niveau betrachten.(Ranta 1991) Die Type prop einer Proposition wird eingeführt (prop: type und prop =set: type). Σ ist ein Operator, der als das Argument eine Menge und eine propositionale Funktion nimmt, die auf der Menge definiert wird und eine Proposition herausbringt.

(78) Σ: (X:set)((X)prop)prop.

Die Syntax des höheren Niveaus ist Σ:(A, B), wo A:set und B:(A)prop eingesetzt werden. Wenn ein Element von Σ:(A, B) durch das Operator pair geformt wird, sind ein Element a: A und ein Beweis von B(a) gebraucht.

(79) pair: (X:set)(Y: (X)prop)(x:X)(Y(x))Σ(X,Y).

Die Projektionen (p und q), die ein Element von A und einen Beweis von B(p(c)) durch einen Beweis c:Σ(A, B) erzeugen, werden in (80) eingeführt. Allerdings sind sie nicht kanonisch.

(80) p: (X:set)(Y: (X)prop)(z:Σ(X,Y))X;
      q: (X:set)(Y: (X)prop)(z:Σ(X,Y))Y(p(X,Y,z)).

Π ist die gleiche Type wie Σ. Aber die monomorphische λ-Abstraktion und das ap-Operator werden eingeführt, um die monomorphische Regelungen aus der Zuweisung der Kategorien abzuleiten. Die Regelungen entsprechen den polymorphischen Typentheorien, die Matin-Löf (1982) darstellte. Diese Operatoren wie Σ, Π, pair, λ, p, q und ap werden im Lexikon der deutschen Grammatik enthalten.

(81) Π: (X:set)((X) prop) prop;
      λ: (X:set)(Y:(X)prop)((x:X)Y) Π(X:Y);
      ap: (X:set)(Y:(X)prop)(Π(X:Y))(x:X)Y(x).

Wollen wir hier die intuitionistische Grammatik für das deutsche Fragment betrachten. Die Grammatik besteht aus manchen Komponenten. Zuerst das Lexion, das den grundlegenden Ausdrücken die Kategorie zuweist. Ferner die kategoriale Grammatik, die aus den Regelungen der intuitionistischen und typentheoretischen Formalismus besteht. Schließlich die Sugaringsregelungen, durch die sich die Ausdrücke des Formalismus zu den deutschen Wörtern verwandeln können.

Die Sugaringsregelungen sind überhaupt nicht eins zu eins. Im allgemeinen kann ein formaler Ausdruck durch die Sugaringsregelungen in viele alternativen deutschen Ausdrücke bearbeitet werden. Einerseits gibt es gleichbedeutende Ausdrücke. Andererseits gibt es ambige Ausdrücke. Es ist doch zu bemerken, daß das Synonym keine äquivalente Beziehung zwischen deutschen Sätzen ist, weil es folgende Beispiele geben mag. (Ranta 1991)

(82) F>E und F>E', aber nicht F>E";
      F'>E'und F'>E", aber nicht F'>E.

E und E' sind gleichbedeutend, und E' und E" sind auch so, aber E und E" sind nicht so.

(83) F = (Σx: Frau) (Πy: Mann) lieben (x, y).
      F' = (Πy: Mann) (Σx: Frau) lieben (x, y).
      E = Hier ist eine Frau, die jeden Mann liebt.
      E' = Eine Frau liebt jeden Mann.
      E" = Wenn ein Mann hier ist, ist eine Frau da, die ihn liebt.

(84) Lexikon   →   Formalismus   →   Deutsch
          Kategoriale Grammatik   Sugaring

Die Grammatik (84) von Ranta (1991) kann mit der Struktur der PTQ-Grammatik vergleicht werden. Die syntaktischen Regelungen der Montague Grammatik spielen eine Doppelrolle wie (i) Verbindung der grundlegenden Ausdrücke mit den Analysenbäumen und (ii) Sugaring der Analysenbäume ins einfache Deutsch (siehe 59).

(85)   S-Regelungen (i)   S-Regelungen(ii)

Grundlegende Ausdrücke → Analysenbäume →   Deutsch

↓ Übersetzung

Intensionale Logik

Der Unterschied besteht darin, daß es nur einen Formalismus gibt, der auf den Sugaringsregelungen und den Bedeutungsausdrücken beruht. Wenn ein logischer Formalismus als die Grundlage der Erzeugung der deutschen Sätze verwendet wird, kann die Erzeugung die effektiven semantischen Bedingungen der Wohlgeformtheit bilden.

Hier handelt es sich um die methodologischen Prinzipien, die den Parallerismus wie z.B. Kompositionalität zwischen den Bedeutungen und der Form fordern. (Ranta 1991)

(86) a. Kategorisieren Sie, was Sie können.

b. Kategorisieren Sie nicht, was Sie nicht können.

c. Kategorisieren Sie quasi gleichbedeutend, was Sie können.

(86)a fordert, daß viele deutschen Ausdrücke den typentheoretischen Bedeutungen direkt zugewiesen werden. Aber wenn die Kategorisierungen auch ihre ontologische Lesarten haben, muß man den vollen typentheoretischen Sinn jeder kategorisierten Ausdrücke haben können. Das führt zum zweiten Prinzip (86) b, das die Kategorisierung der deutschen Quantoren irgendein, jeder und manch ausschließt, weil diese Wörter nicht immer verwendet werden können, um zu beschreiben, was Π und Σ ausdrücken.

(87) jeder:(X:set) ((X) prop) prop,

jeder: Π: (X: set) ((X)prop) prop.

Hier kann man den Sugaringsprozeß von (88) zu (89) verwenden, indem jeder Patient durch x substituiert wird.

(88) (jeder x: Patient) (ausgehen (x)⊃Behrens ist froh).

(89) Wenn jeder Patient ausgeht, ist Behrens froh.

Aber wenn das deutsche Wort *jeder* einen starken Sinn hat, kann der Sugaringsprozeß keine Bedeutung erhalten. Es handelt sich um den Prozeß von Π.

Es gibt einen schwachen Sinn, in dem *jeder* eine einzigartige Bedeutung hat. Für *jeder* ist er Π, während der unbestimmte Artikel *ein* in gleicher Weise Σ hat. Die Eigenschaften der Sugaringsregelungen werden durch die Quasikategorisierungen ausgedrückt.

(90) jeder < Π: (X: set) ((X) prop) prop,
     INDEF < Σ: (X: set) ((X) prop) prop.

Wenn ein Ausdruck quasikategorisiert wird, wird Σ immer für die unbestimmte Artikel erzeugt, weil eine Parsingsregelung sie in der gleichförmigen Weise behandeln kann (siehe 86c).

Hier wird das Lexikon eingeführt. Die Terminologien sind ein Substantiv, ein Verb und ein Adjektiv und deuten die Ausdrücke für die Menge, die propositionale Funktion und die Funktion an, die ein Individuum als den Wert bestimmt. Die lexikalischen Einträge zeigen auch die Sugaringsmuster N_0, V_1 und V_2 usw.

(91) Mann: Menge von N_0

    schlafen: (Mann) prop von V_1

    besitzen: (Mann)(Bleistift) prop von V_2

    jung: (Mann) prop von A_1

    Joachim: Mann von T_0

    Vetter: (Mann) Mann von T_1.

Das Lexikon fordert, daß man die Menge *Mann* und die Funktion *schlafen* in einer angemessenen Weise definiert. Die typentheoretische Sprache wird nicht interpretiert wie die intensionale Logik in PTQ. Allerdings enthält das Lexikon die Operatoren Σ, Π, pair, λ, p, q und ap in (78), (79), (80) und (81).

Zudem werden noch zwei Operationen S und N definiert, die die propositionalen Ausdrücke der Typentheorien in der niedrigeren Ebene als die Argumente nehmen und sie in die Sätze und die Substantive zurückgeben. Zum Beispiel gibt es keinen Weg, der N $((\Pi x: A)B)$ ausführt. Wenn der Sugaringsprozeß zum Form weitergeht, muß man einen Weg finden, in dem S $((\Pi x: A)B)$ erscheint.

Es handelt sich um das System der Sugaringsregelungen, das ein kleines Fragment (für die Hilfsregelungen*) erzeugt. Die Bezeichnung [E/F] weist auf der Substitution des Ausdrucks E durch den Ausdruck F hin. Der Skopus ist der vorgehende Ausdruck, der durch die Klammern abgegrenzt wird. Die Bezeichnung {E, F, G} weist darauf hin, daß E, F und G alternativ sind.

(92) Die Hilfsregelungen

(REFL) C (a, a)> C (a, REFL (A)) für C: (A) (A) prop atomic.

(M) für jedes atomares C und Variable x,

C (d (p • x)) > C (d (Mx))

C (d (p • x), b) > C (d (Mx), b)

C (a, d (p • x)) > C (a, d (Mx)), wenn a kein Mx enthält;

p • x ist irgendein x, p (x), p (p (x)) und d (c) ist c, Vetter (c), Mutter (Vetter (c)).*

Die Regelung (M) erzeugt z.B.,

schlafen (x) > schlafen (Mx);

lieben (Vetter (p (x)), p (x)) > lieben (Vetter (Mx), p (x));

verwenden (p (q (x)), p (x)) > verwenden (p (q (x)), M x).

(SPECTRUM) C (a) > C (a {PRON (A), die-N (A)}) für C: (A)α.

Die Operationen S und N.

(THERE) S (A)> es_ist_INDEF-N (A).*

(Q) S ((Σ: A)B) >
     S (B [{INDEF-N (A), ein-N (A), ein gewisses N (A)}/ Mx])
     S ((Πx: A) B) >
     S (B [{jedes-N (A), ein-N (A), jedes-N(A)} / Mx])
     wenn es ein Mk in B gibt.

(C) S ((Σx: A) B) > (S (A))_und_(S(B)) *
     S ((Πx: A) B) > wenn_(S(A))_(S(A))_(S(B))

(R) N ((Σ: A) B) > (N (A)) - REL (x: A) - (S(B))

(N0) N (C) > C

(V1) S (C (a))> a_VF (C)

(V2) S (C (a, b)) > a_VF (C) _ACC (b)

(A1) S (C (a)) > a_VF (sein) _C

(T0) c > c

(T1) c (a) > GEN (a, c)

Die Sugaringsregelungen nehmen die morphologischen Operatoren VF (verb form), ACC (accusative), GEN (genetive), INDEF (indifinite article), PRON (personal pronoun of type A), INDEF-A (A preceded by a or an), PRON (A)(personal pronoun of type A) und REL (x: A) (relative pronoun). Zum Beispiel werden sie für die Ausdrücke der folgenden Form gezeigt.

(93) (A) - REL (x: A) - (B).

In den folgenden Fällen muß die Sugaringsregelung genommen werden.

(94) REL (x: A), so daß, während B sich nicht andert.

Die Sugaringsregelungen und die morphologischen Operatoren (REL (X: A)) wurden ausgeführt, aber es gibt noch einen Begriff, der von der anaphorischen Ausdrücken zur Verfügung gestellt wird. Wenn die Pronomen (PRON (A) und PRON (B)) für a [A] und b [B] gleich sind, müssen das-N (A) und das-N (B) statt PRON (A) und PRON (B) ausgewählt werden. (Ranta 1991)

(95) Anaphorisches Prinzip

Die Referenz jedes anaphorischen Ausdrucks muß einzigartig im Kontext bestimmt werden, wo der Ausdruck erscheint.

Um das Prinzip noch besser zu verstehen, muß das Verfahren sorgfältig ausgearbeitet werden. Die Pronomen und die Phrasen haben ähnliche Quasikategorisierungen.

(96) PRON < (X) (x) x: (X: set) (X) X,
the < (X) (x) x: (X: set) (X) X.

Hier handelt es sich darum, zu illustrieren, wie der abhängige Bereich der Anapher erzeugt wird. Die Proposition verwenden (p(z), p(q(z))), die im Kontext z: (Σx: Mann)(Σy: Bleistift) besitzen (x, y) geformt wird, und enthält freie Erscheinungen der Variable z, die ein Objekt im Kontext erwähnt. Kraft der Propositionen wie Typentheorie werden die Abhängigkeit der Anapher und die Präsuppositionen in solchem Sinn bewertet, daß man die Wahrheit einer gegebenen Propositionen präsupponieren kann, um eine weitere Proposition zu formen.

(97) B: prop (A: true) bedeutet B: prop (x: A).

Um ein Text darzustellen, wird es schon erklärt, daß die volle Darstellung eines indikativen Satzes keine Proposition, sondern ein Urteil der Form a: A ist. Für einen gegebenen indikativen Satz kann der Beweis im allgemeinen als keine Konstante, sondern als eine Variable wieder hergestellt werden. Das Text wird als das Kontext der folgenden Form dargestellt.

(98) $x_1: A_1 ... x_n: A_n$

wo jede Proposition A_k abhängig vom vorausgehenden Kontext ist. Die intuitionistische Logik nimmt diesen Weg an, um die Dynamischheit eines Textes zu behandeln.

解説20

　ここでは、直感主義論理に基づいた簡単なドイツ語の文法を導入する。直感主義は、論理の系統の中で様相論理などと共に多値論理のグループに属し、やはり量化の表現に真理値を割り当てる上で古典的な二値論理では不十分であるという立場を取る。また、直感主義を用いた自然言語に関する証明は、コンピュータのプログラムにも通じる方法であり、Ranta (1991) は、Montague の PTQ を土台にした英語の断片を提示している。ここで導入するドイツ語の文法は、レキシコン、範疇文法そしてシュガーリングが構成要素である。

　まず前提として、テキストのダイナミズムを直接反映するために、Ranta (1991) は、Matin-Löf(1982) のタイプ理論を取り入れた。Matin-Löfの動機は、統語論と意味論を数学によって明確にするという立場から、直感主義の数学とプログラミング間をつなぐために、例えば、argument と input、value と output、x=e と x:=e、関数の合成と S$_1$;S$_2$、条件の定義と if A then S$_1$ else S$_2$、回帰の定義と while A do S などについて直感主義のタイプ理論を作った。(Matin-Löf 1981)

　直感主義のタイプ理論は、命題の表現を持っている。まず複合命題を考えてみよう。(68) は、領域 A の中で解釈される述語計算の (∃x) と (∀x) に相応する。但し、タイプ理論が述語計算に比べてより形式的となっている点に違いがある。それは、タイプ理論が、命題や判断（または主張）を明確にするためである。命題は、判断の一部であるが、その逆になることはない。ここでは、(69) に示されている判断を考察する。A: prop は、命題 A が適格な式であるという判断を意味している。a: A は、A が真であるという判断である。つまり、a は A の証明になる。こうした

108

判断は、例えば、疑問文に生じることがある。

　演算子ΣとΠは、ドイツ語の文章を形式化する場合、述語計算の($\exists$x)や($\forall$x)と同じ方法で使用される。例えば、(70)は(71)に、(74)は(75)へと形式化される。つまり、直感主義のタイプ理論の量化表現を含む命題をドイツ語の文章へシュガーリングする規則と原子的な命題のシュガーリングの規則により、(70)は、(71)から派生することになる。

　しかし、自然言語を処理するためには、タイプ理論をさらに豊かにする必要がある。97頁の注釈でRanta (1991) が説明しているように、(77)が定義できれば、一般化された関数のタイプ(x:α)ß内で判断ができるようになる。判断は、変項に対するタイプ割り当ての中で行われる。そして、仮定の連鎖は、文脈(x_1:α_1…x_n:α_n) になる。例えば、判断Jが文脈の中で実行される場合、変項x_1…x_nは、自由にJの中に現れることになる。また、判断Jが文脈の中で行われ、定項a_1:α_1…a_n:α_n(a_1…a_{n-1}/ x_1…x_{n-1}) が変項x_1…x_nと置換される場合、判断が文脈に依存することはない。

　断片的なドイツ語の文法を記述する準備として、最後に演算子ΣとΠをさらに高いレベルで考える。それは、これらの演算子がドイツ語のレキシコンに含まれるからである。Σは、変数として集合と集合上で定義される命題関数を取り命題を返す(78を参照すること)。集合の統語表記は、Σ (A,B) になる。また、演算子pairを使用してΣ(A,B)の要素が形成される場合は、要素a: A と B(a)の証明が必要になる（79を参照すること）。

　次に要素Aと証明B(p(c))からc:Σ(A,B)を生成する投射の演算子pとqが導入される（80を参照すること）。これらの演算子は、規範的なものではない。Πは、Σと同じタイプの演算子であるが、範疇の割り当てから単形の規則を導くために、単形のλ抽象化とap演算子が挿入される（81を参照すること）。

　直感主義論理に基づいた簡単なドイツ語の文法を考える。レキシコンは、基本表現に範疇を割り当てていく。範疇文法は、直感主義のタイプ理論を形式化する規則である。そしてシュガーリングの規則は、形式化された表現がドイツ語として認識される語彙の連鎖を返す。

　Ranta (1991) の文法 (84) と Montague Grammar (85) の違いは、要約にもあるように、(84) は、シュガーリングと基礎的な表現の形式化があるだけである。一方、Montague Grammar は、(i) 基本表現を分析樹に結合させ、(ii) 分析樹を単純な文にシュガーリングするといった二重構造になっている。もちろん、Ranta (1991) の文法 (84) も意味と形式間のパラレルな関係を要求する。

　まず、多くのドイツ語の表現がタイプ理論の意味で直接レキシコンに導入される。(86)a は、範疇化が存在論の意味を持っているため、各表現に対してタイプ理論の意味合いを作ることができる。(86)b は、ドイツ語の量化表現（jeder や不定冠詞）の範疇化を排除する。これらの語彙が Σ と Π による表現を作れないため、レキシコンに jeder を登録してから、jeder Mann を X と置換して (88) から (89) へシュガーリングを掛けていく。

　しかし、jeder が強い意味を持つと、Π のシュガーリングに問題が生じる。jeder が弱い意味を持つと、一意な意味がでる。その場合、jeder に対する形式表現は Π となり、不定冠詞は Σ になる。こうしたシュガーリングの規則の特徴は、擬似的な範疇化によって表現される。擬似的に範疇化された表現を持つと、パージングの規則は、一定の方法でそれを処理することができる（86c を参照すること）。

　レキシコンを見てみよう。普通名詞、固有名詞、動詞および

形容詞が範疇化される。語彙登録(91)は、シュガーリングのパターン（N_0、V_1、A_1など）を示している。レキシコンを持つことによって、名詞の集合や動詞の関数が定義され、上述したΣ、Π、pair、λ、p、qおよびapといった演算子もそこに含まれる。さらに、SとNという演算子が導入される。これらは、タイプ理論の命題表現を変数として取り、文章と名詞を返す。

　シュガーリングに関する規則を見ていこう。対象は、ドイツ語の断片である。[E/F]は、表現Eを表現Fで置換するという意味である。{E, F, G}は、E、F、Gが選択できることを示している。(92)は、補助規則である。

　(92)では、単数の表現が再帰代名詞に戻り、主要な変数としてマークされ、照応表現の範囲に設定される。次に、SとNの演算子を規定するが、規則(Q)、(C)、(R)が重要になる。規則(Q)は、直感主義のタイプ理論の量化表現をドイツ語の文章にシュガーリングする規則である。規則(C)は、ΣとΠを限量詞というよりも連結詞と見なして、結合と条件のシュガーリングを処理する。規則(R)は、表現が関係代名詞によって修飾された名詞にシュガーリングが掛かることを説明している。

　最後に形態操作の説明である。VF動詞（3人称単数現在）、名詞の目的格ACCと所有格GEN、不定冠詞INDEF、人称代名詞PRON、関係代名詞REL、再帰代名詞REFL（reflexive pronoun）がシュガーリングの規則のための形態操作として導入されている。巻末にある103頁の補助規則の注釈および104頁の3つの注釈を参照すること。

巻末にある103頁の補助規則の注釈および104頁の3つの注釈を参照すること。

解説22

　照応表現の指示（95）は、その表現が現れる文脈内で一意に規定されなければならない。そこでRanta (1991)は、代名詞を擬

111

似的に範疇化される表現と見なし、照応の依存領域に関する生成の方法を問題にした。文脈内で形成される命題は、変項が文脈において自由に出現することを認めている。つまり、タイプ理論と同様に命題の力によってさらに命題を形成するために、照応の依存関係や前提が所与の命題の真理値を予め仮定できると考えている。

　文は、命題ではなく形式の判断である。個々の命題は、先行する文脈に依存し、テキストは、形式の文脈として表現される。その際、文に対する証明は、一般的に定項ではなく、変項として生成される。直感主義論理は、テキストのダイナミズムを処理するためにこのような方法を採用している。

Teil 2
やさしい曖昧な数学

Teil 2 やさしい曖昧な数学

Kapitel 1 『魔の山』をマージする

要約 「計算文学の目的とは…」の中で、Thomas Mann のイロニーと Zadeh のファジィ理論*を次のように定義した。

Thomas Mann は、散文の条件として常に現実から距離を取る。一つは、現実をできるだけ正確に考察するために、また一つは、それを批判するために、つまり、イロニー的に。…この批判的な距離は、イロニー的な距離になりうるであろう。実際、批判的な表現における簡潔さには、余すところなく正確に規定された概念言語の要求に対して、言語媒体そのものの特徴から反対の行動をとるある種の制限が設定されている。

そして、Zadeh はいう。正確さと複雑さは、両立が困難である。システムの複雑さが増すと、その振舞いについて正確ではっきりとした主張はできなくなってくる。例えば、現実の経済と関連したシステムの振舞いを推測することは、大変に難しい。

つまり、両者とも物事を深く正確に突き詰めていってもそこには限界があり、逆に深追いしないことにより良い結果をもたらすことができると主張している。本章では、第1部を経て筆者がたどり着いたファジィ理論と Thomas Mann のイロニーをさらに掘り下げて、両者の整合性を見ていくことにする。

Um die Dynamischheit eines Textes zu betrachten, handelt es sich hier besonders darum, die Ironie Thomas Manns als eine Art von Inferenz zu behandeln, weil seine Ironie als ein konkretes Beispiel der Anwendung seiner Kenntnissse angesehen werden kann. Wollen wir diesmal besonders den Zauberberg auswählen, weil die Ironie im Zauberberg für eine Kreuzung seiner Ironie in seinen Gesamtwerken gehalten werden kann. (Baumgart 1964) Manchmal wird es auch so gesagt, daß sie die Manier der eigenen sujektiven Bejahung ist. (Walser 1982) Natürlich habe ich meine Motivation zu seiner Ironie.

Nach Frommer (1966) braucht man die Ironie, um die logische Unmöglichkeit eines Nebeneinanders der Gegensätze möglich zu machen. Die Ironie setzt den Satz vom Widerspruch außer Kraft, weil sie die endgültige Festlegung nicht kennt (das heißt, eine Inferenz). Sie verbindet die Standpunkte des Weder-noch und Sowohl-als auch zu einer dialektischen Einheit. Indem sie nach beiden Seiten hin Vorbehalte macht, setzt sie sich Instand, sich zugleich auf beiden Seiten zu engagieren. So erscheint die Ironie als notwendiges Zubehör dessen, was wir die humane Lebensform genannt haben.

In anderer Funktion war die Ironie im ästhetischen Bereich begegnet. Dort war sie ein Ausdruck der ästhetischen Indifferenz gewesen und durch die universale Einfüllung bewirkt. Wir kennen sie aus dem Zauberberg als die Duldsamkeit unheimlichen Grades. Das ist z.B. Hans Castorps Ironie. Er macht sich abwechselnd den Standpunkt beider Seiten zu eigen, um jeweils die andere Seite zu kritisieren. Demnach ist Hans Castorps Ironie nichts als der Ausdruck eines doppelten in sich widersprüchlichen Engagements.

Allerdings war es bisher etwas schwierig, die Ironie im Gebiet der theoretischen Sprachwissenschaft zu repräsentieren. Deswegen wird hier die Fuzzy-Logik versuchsweise angenommen, weil man wichtige Berührungspunkte zwischen der Ironie Thomas Manns und der Fuzzy-Logik Rotfi Zadehs finden kann, die auch manchmal die unscharfe Logik genannt wird.

(99) Ironisches Prinzip

    a) Einführung

        Als die Bedingung seines Prosas hält Thomas Mann immer die Distanz zur Wirklichkeit, einmal um sie so genau wie möglich zu betrachten, einmal sie zu kritisieren, das heißt ironisch. Die kritische Distanz könnte zu einer ironischen Distanz werden. Tatsächlich ist der kritischen Prägnanz eine Art Grenze* gesetzt, die aus der Beschaffenheit des sprachlichen Mediums selbst dem Bedürfnis nach einer restlos präzisierten Begriffssprache entgegenwirkt (Baumgart 1964), sowie die Fuzzy-Logik behauptet, daß man kein desto genaueres System schreiben kann, je komplizierter es ist. (Yager et al 1987)

    b) Eigenschaft

        Als die gemeinsame Eigenschaft könnte die Subjektivität angenommen werden. Die Fuzzy-Theorie führt zu keiner Objektivierung, sondern zur Subjektivierung in der Wissenschaft (Sugeno 1991), während das Prinzip, das dem von Thomas Mann und Hans Castorp beschrittenen Wege zugunde liegt, das des Willens zur Selbstüberwindung ist. (Riekmann 1977) Allerdings ist jener Begriff individuell, während dieser überindividuell ist. Jedenfalls handelt es sich doch um eine individuelle Bestimmung für die beiden Begriffe.

c) Wortwahl

Das ironische Wort von Thomas Mann wie z. B. Adjektiv und Adverb verfehlt nicht seinen Gegenstand in toto, sondern durch absichtsvolle Ungenauigkeit nur dessen eigentlichen Kern (Baumgart 1964), während der Begriff, der durch die Fuzzy-Mengen dargestellt wird, der vage Begriff wie z.B. große Leute oder mehr oder weniger ist, der weder extensional noch intensional ist. (Sugeno 1991)

Wollen wir hier die einfache Denkweise der Fuzzy-Logik behandeln. Nach Traeger (1993) ist die Fuzzy-Logik eine Erweiterung der klassischen Logik.* In der Fuzzy-Logik werden nicht nur die klassischen, scharfen Zustände wie ja/nein, wahr/falsch, sondern auch viele Zwischenstufen betrachtet.

Zum Beispiel liegt die Untergrenze der Menge *lang* für die Aufenthalte zur Sommerfrische in drei Wochen. Die klassische Logik ordnet der Menge *lang* jede Aufenthaltsdauer zu, die gleich 21 Tage oder noch länger ist, doch keine Aufenthaltsdauer unter 21 Tagen. Somit wäre die Aufenthaltsdauer mit 22 Tagen völlige klar *lang*, mit 20 Tagen eindeutig nicht. Diese komische Vorgehensweise (Unterschied nur 2 Tage) entspricht weder der menschlichen Denkweise noch der Alltagserfahrung wie *sehr, etwa* usw.

Dagegen kann sie in der Fuzzy-Logik mit ihren Zugehörigkeitsgraden noch besser erklärt werden. So könnte eine Aufenthaltsdauer von 20 Tagen beispielsweise zu 95% zur Menge *lang* gehören, eine Aufenthaltsdauer von 18 Tagen wahrscheinlich zu 86% usw. Die Regelungstechnik mit der Fuzzy-Logik, das heißt, die Fuzzy-Kontrolle braucht nur eine verbale Beschreibung, was in welchem Zusatnd zu tun ist. Noch genauer gesagt, besteht die Fuzzy-Kontrolle aus drei Bausteinen: Fuzzifizierung, Inferenz und Defuzzifizierung.*

解説23

　Thomas Mann のイロニーをある種の推論と見なして、テキストのダイナミズムを考察していく。本書が『魔の山』を題材にする理由は、『魔の山』がThomas Man の全集においてイロニーの交差点と見なされているからである。(Baumgart 1964) また、『魔の山』のイロニーは、自身の主観を肯定し (Walser 1982)、論理的に共存できない対象を共存可能にするために使われる。(Frommer 1966)

　イロニーは、最終的な決定を知らない。それ故に、推論の扱いになる。「AでもなければBでもない」とか「AでもありBでもある」の観点を対話の単位と結びつける。すると、双方の側面に対して留保することにより、両方へ同時に接近することができるようになる。これは、美的で中立な表現として主人公Hans Castorpのイロニーになる。そして、その都度、他方を批判するために、双方の観点を交互に自分のものとし、彼自身の中で二重に矛盾した社会参加（アンガージュマン）の表現になっていく。

　一方、理論言語学の枠組みでイロニーを表現することは難しいといわれている。しかし、Thomas Mann のイロニーとZadehのファジィ理論の間に複数の共通項（イロニーの原理）が見い出せることから、本書では、Thomas Mann のイロニーを形式論で表記するためにファジィ理論を採用し、『魔の山』のダイナミズムを考察していく。

(99) イロニーの原理

a) 定義：Thomas Mann は、彼の散文の条件として常に現実から距離を置く。一つは、現実をできるだけ正確に考察するために、また一つは、それを批判するために、つまり、イロニー的に。*

…この批判的な距離は、イロニー的な距離になりうるであろう。実際に、批判的な表現における簡潔さには、余すところなく正確に規定された概念言語の要求に対して、言語媒体そのものの特徴から反対の行動をとるある種の制限が設けられている。(Baumgart 1964) 一方、ファジィ理論は、システムが複雑になればなるほど、より正確な記述ができなくなることを主張する。(Yager et al 1987)

b) 特徴：双方に共通の特徴として、主観性を想定することができる。周知の通り、ファジィ理論は、科学の中に客観性ではなくて主観性を導入する。(菅野 1991) 一方、Thomas Mann と Hans Castorp が歩んでいく道を基準にしたイロニーの原理は、自己を乗り越える原理である。(Frommer 1966) つまり、ファジィ理論における主観性は、個人的な主観であり、Thomas Mann の主観性は、超個人的な主観（主体性）となる。しかし、何れにせよ双方共に個人による規定や決定が問題になっており、両者をまとめて広い意味で主観と呼ぶことができる。

c) 語の選択：Thomas Mann が使用するイロニー的な語彙、例えば、形容詞とか副詞は、意図的な不正確さを通してことばが持っている本来の意味合いをはずす。(Baumgart 1964) 一方、ファジィ集合によって表現される概念は、「背の大きい人達」や「多かれ少なかれ」といった曖昧な概念であり、外延的でも内包的でもない中間的なものになる。(菅野 1991)

解説24

以下の章では、Traeger(1993) に基づき平易なファジィ理論が導入される。それによると、ファジィ理論は、古典論理の拡張

であり、真偽だけではなくたくさんの中間段階を考察することができるという。つまり、ファジィ理論を言語処理に適用する面白さは、古典論理でいう真偽では説明ができない数字のずれや、「ほとんど」とか「かなり」といった修飾語を伴う日常表現も説明できる点にある。

　例えば、夏期休暇の避暑地における滞在に関して、「長い」の下限を21日とする。古典論理では、21日以上の場合、割り当て可能となるが、21日未満の場合、不可能になる。しかし、20日間の滞在でも全く該当しないわけではない。それどころか、ほとんど該当する。こうした奇妙な現象を解決するために、ファジィ理論は、メンバーシップ値を採用する。これにより、20日間の滞在は、95%「長い」となり、18日間の滞在は、86%「長い」となる。また、両方の数字の間には、ファジィコントロールと呼ばれる計算術が存在し、それは、ファジィ化、推論そして脱ファジィ化という3つの構成要素を持っている。

　それでは、簡単な用例を引用しながら、やさしい曖昧な数学を見ていくことにしよう。

要約 古典的な集合論の拡張といえるファジィ集合を説明する。これは、「若い」や「大きい」のような言語学上の変数とか「とても」や「ほとんど」といった修飾語によって表記される。例えば、Joachim Ziemßenは、どのくらいの背丈なのか。ここでは、ファジィ集合を表記するために、3つの形式を説明する。その中で一番分かりやすいものは、グラフによる表記である。例えば、Hans Castorp が比較的我慢強い青年であることも、集合論の演算子や結合操作を通してグラフにより表記される。

☞ **キーワード**
ファジィ集合、ファジィ集合の表記法、メンバーシップ関数

Eine Fuzzy-Menge stellt die Erweiterung einer klassischen Menge dar und wird durch eine linguistische Variable wie *jung, groß* bezeichnet. Sie kann sogar durch sogenanntes Modifizieren wie *sehr, meist* und *ziemlich* geändert werden. Beispielsweise können verschiedene Eigenschaften der Menge der großen Menschen zugeordnet werden.

Hier ist *groß* die liguistische Variable. Im Zauberberg könnte Joachim Ziemßen vielmehr zur Menge der größeren Menschen gehören als Hans Castorp. (Der Zauberberg: 15) Aber wie erfüllt Joachim Ziemßen die Eigenschaften der Fuzzy-Menge? Dafür gibt es ein quantitatives Maß, das heißt den Zugehörigkeitsgrad und die Zugehörigkeitsfunktion.*

(100) $\mu_A(x) = 0.7$

Das bedeutet, daß x einen Zugehörigkeitsgrad von 0.7 zur Menge A hat.

(101) a. $\mu_{\text{groß}}$ (J. Ziemßen) = 0.7
     b. $\mu_{\text{groß}}$ (H. Castorp) = 0.3

Als die Darstellungsformen der Fuzzy-Menge werden drei Arten vorgeschlagen (102, 103 und 104).* A ist eine Fuzzy-Menge und x_i ist die Elemente mit ihrem Zugehörigkeitsgrad μ_i.

(102)   Am übersichtlichsten ist die grafische Darstellung, die auch am häufigsten verwendet werden (Kurvenform wird willkürlich gewählt).

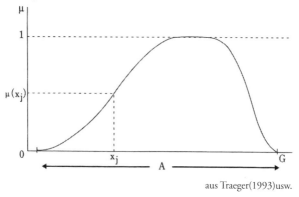

aus Traeger(1993)usw.

(103) Äußerst selten wird die Darstellung als Summe verwendet.
$A = \mu_1/x_1 + \mu_2/x_2 + \ldots = \Sigma\mu_i/x_i \,\forall x \in G$

124

Das ist nur eine mögliche Darstellungsform der Menge A. Die Zugehörigkeitsgrade μ_i werden nicht durch die Elemente dividiert und die Paare μ_i/x_i werden auch nicht addiert.

(104) Darstellung als Menge geordneter Paare.

$A = \{(x_1,\mu_1),(x_2,\mu_2),...\}\forall x \in G$

Ist G eine Auswahl von Objekten x, dann ist A eine Fuzzy-Menge mit $A = \{(x; \mu_A (x))|x \in G\}$.

Zur besseren Übersicht werden die Elemente x_i weggelassen, deren Zugehörigkeitsgrad $\mu_i = 0$ ist.

In der Fuzzy-Mengenlehre müssen auch Mengenoperationen und Mengenknüpfungen möglich sein, da sie die scharfe, klassische Mengenlehre enthält.

(105) A, B = unscharfe, normalisierte Mengen.

$\mu_A (x)$, $\mu_B (x)$ = Zugehörigkeitsgrade des Elementes x zur unscharfen Menge A bzw. B.

x = betrachtetes Element.

G = Menge aller Elemente x, also die Grundmenge (scharfe Menge, enthält alle x vollständig).

min {...} = Minimum-Operator; wählt das Minimum aus der nachfolgenden geschweiften Klammer.

max {...} = Maximum-Operator; wählt das Maximum aus der nachfolgenden geschweiften Klammer.

$\forall$ = Allquantor, gelesen für alle.

$\forall x \in G$ bedeutet also für alle Elemente x aus der Menge G .

(106) Vereinigungsmenge

$A \cup B = \{(x; \mu_{A \cup B}(x))\} \forall x \in G$

(107) Schnittmenge

$A \cap B = \{(x; \mu_{A \cap B}(x))\} \; \forall x \in G$

(108) Distributivgesetzte

a. $A \cap (B \cup C) = (A \cap B) \cup (A \cap C)$

b. $A \cup (B \cap C) = (A \cup B) \cap (A \cup C)$

(109) Komplement

$A = \{(x); \mu_{\tilde{A}}(x)\} \; \forall x \in G$ mit $\mu_{\tilde{A}}(x) : = 1 - \mu_A(x) \forall x \in G$

(110) Theorem von De Morgan

a. $\overline{A \cup B} = \overline{A} \cap \overline{B}$

b. $\overline{A \cap B} = \overline{A} \cup \overline{B}$

(111) Enthalten sein

A in B enthalten $\leftrightarrow \mu_A(x) \leq \mu_B(x) \forall x \in G$

(112) Produkt zweier Menge

$A \cdot B = \{(x; \mu_{A \cdot B}(x))\} \forall x \in G$ mit $\mu_{A \cdot B}(x) := \mu_A(x) \cdot \mu_B(x) \forall x \in G$

Die Produktbildung normalisierter Fuzzy-Mengen ist kommutativ und assoziativ.

(113) Summe

$A + B = \{(x; \mu_{A+B}(x))\} \forall x \in G$ mit $\mu_{A+B}(x) := \mu_A(x) + \mu_B(x) - \mu_A(x) \cdot \mu_B(x)$

$\forall x \in G$

Die Summenbildung normalisierter Fuzzy-Mengen ist kommutativ und assoziativ.

(114) Implikation

Wenn A dann B

Mathematisch: $(x \in A) \rightarrow (y \in B)$

oder kurz $A \rightarrow B$

wobei x,y Einzelelemente

    X Grundmenge zu x, also $x \in X$

    Y Grundmenge zu y, also $y \in Y$

    A Teilmenge aus X, also $A \subset X$

    B Teilmenge aus Y, also $B \subset Y$

Zum Beispiel starben die Eltern von Hans Castorp in der kurzen Frist zwischen seinem fünften und siebenten Lebensjahr, zuerst die Mutter.

"Da sein Vater sehr innig an seiner Frau gehangen hatte, war sein Geist verstört und geschmälert seitdem; in seiner Benommenheit beging er geschäftliche Fehler, so daß die Firma Castorp & Sohn empfindliche Verluste erlitt; im übernächsten Frühjahr holte er sich bei einer Speicherinspektion am windigen Hafen die Lungenentzündung, und da sein erschüttertes Herz das hohe Fieber nicht aushielt, so starb er trotz aller Sorgfalt... " (Der Zauberberg: 32)

x: momentane Arbeit

y: momentaner Gesundheitszustand

X: Arbeit im allgemeinen = {leicht, hart, langweilig, interessant,...}

Y: Gesundheitszustand im allgemeinen = {gesund, gut, mühe,...}

A: Schwierige Arbeit = {zuviel, kompliziert,...}

B: Schlechte Gesundheitszustand = {mühevoll, angegriffen, krank,...}

Implikation: Wenn die Arbeit schwierig ist, dann ist der Körper angegriffen.

$\mu_{schwierig}$(momentan)=1

$\mu_{angegriffen}$(momentan) = 0.8

$\mu_{schwierig, angegriffen}$ (momentan) = min (1; 0.8) = 0.8

Nach der Alltagserfahrung ist der Körper bei einer harten Arbeit angegriffen.

Nun mag die Zugeordnung des Elementes x_0 zum Zugehörigkeitsgrad $\mu_A(x_0)$ unscharf sein, das heißt, die Zugehörigkeitsfunktion $\mu_A(x)$ selbst ist unscharf. Der Fall wird Ultrafuzzy genannt. Zum Beispiel kann es festgestellt werden, ob ein bestimmtes Kind (Hans Castorp) duldsam ist. Mit anderen Worten, inwieweit es zur Fuzzy-Menge *duldsam* gehört (mit Eltern, mit Vater oder Mutter, ohne Eltern)?

(115) Ultrafuzzy

Dem Wert x_0 wird ein Intervall $[\mu_A, 1(x_0); \mu_A, 2 (x_0)]$ zugeordnet und $\mu_A(x_0)$ wird zur Menge *duldsam*. Hier wird es ermittelt, inwieweit eine Person (Typ 1) zur Fuzzy-Menge *duldsam* gehört.

(116)

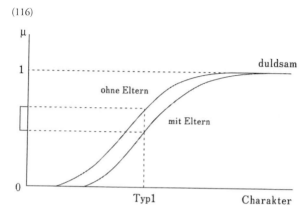

　ファジィ集合は、古典的な集合論の拡張であり、「若い」、「大きい」などの言語上の変数によって表記される。また、「とても」、「ほとんど」、「かなり」といったいわゆる修飾語によっても変化することがある。例えば、「背の大きい人達」という集合を考えてみよう。ここでは、言語変数「大きい」が問題になる。『魔の山』において、Joachim Ziemßen は、Hans Castorp よりも「背の大きい人達」という集合に属している。(Der Zauebrberg: 15) しかし、Joachim Ziemßen は、どの程度この特徴を満たしているのであろうか。これを測るために、集合のメンバーシップ値とメンバーシップ関数がある。

(100) $\mu_A(x) = 0.7$

　これは、xが集合Aに対して0.7のメンバーシップ値を持っていることを表している。その表記方法は、3種類ある。一つは、グラフによる表記で、これが最も分かりやすい（102を参照すること）。但し、曲線については、恣意的である。また、一つは、総計による表記が使われる。メンバーシップ値 μ_i は、要素 x_i によって割られることはなく、対の μ_i/x_i も付加されることはない（103を参照すること）。そして最後に、対の集合としての表記が使用される。Gは、対象xの選択で、Aは、A={(x;μ_A(x))|x∈G}によるファジィ集合になる（104を参照すること）。

　ファジィ集合論*においても集合の演算や集合の結合が可能である。それは、ファジィ集合論が古典的な論理を含んでいるためである。A、Bをクリスプ集合とすると、$\mu_A(x)$、$\mu_B(x)$ は、クリスプ集合 A、Bにおける要素xのメンバーシップ値になる。そ

してxは、考察される要素、Gは、すべての要素xの集合になる。Minは、最小値の演算子、Maxは、最大値の演算子である。∀は、全称記号で、例えば、∀x∈Gは、集合Gのすべての要素を意味する。

本書でいう古典的な集合論とは、和結合(106)、共通結合(107)、分配の法則(108)、補集合(109)、ド・モルガンの法則(110)、相互の含意(111)、2つの集合の積(112)、総和(113)および含意(114)を指す。

解説26

例えば、Hans Castorp の性格の一面を見てみよう。ダボスの療養所に到着した時点では、23歳である。Hans Castorp の両親は、彼が5歳から7歳にかけて共に亡くなっている。最初に母親が塞栓症で亡くなる。彼の父親は、妻を頼っていたこともあり、それ以来、精神的に脆くなり弱くなった。頭が朦朧として、仕事でもミスが出始めた。その結果、彼の会社 Castorp & Sohn は、莫大な損失を被った。翌々年の春に、強い風の吹く港にあった倉庫の検査をしている際、肺炎を患い、動揺した彼の心臓は、高熱に耐えられず、手厚い介護にも関わらず亡くなった。その後、Hans Castorp は、祖父に預けられることになる。(Der Zauberberg: 32)

仕事がきついと健康が損なわれることは、上述のファジィ理論の表記を使用すると次のようになる。

$\mu_{schwierig}(momentan) = 1$

$\mu_{angegriffen}(momentan) = 0.8$

$\mu_{schwierig, angegriffen}(momentan) = min (1;0.8) = 0.8$

但し、メンバーシップ値において問題になるのは、対象となる要素Xの中の現実の特徴である。極稀に生じるような結果も

含むことが可能な蓋然性とは、区別しなければならない。

　また、要素 x_0 のメンバーシップ値 $\mu_A(x_0)$ への割り当てが曖昧なことがある。つまり、メンバーシップ関数 $\mu_A(x)$ 自体が曖昧になる場合が想定される。これは、ウルトラファジィと呼ばれるケースである。上述したように、Hans Castorp は、幼少の時代に両親を亡くしていることから、元々我慢強い性格の持ち主といえるであろう。両親が生きている間は甘えていられるが、一人になれば自ずと甘えは消えて我慢強くなる。この問題は、ウルトラファジィによって表現することができる（116を参照すること）。

要約　集合論と論理学は、それぞれの演算に関して前者が集合と集合から集合を生むのに対し、後者は、考察される要素の特徴が結合して何れかの特徴を持った要素を生むという点に違いがある。また、興味深いことに、人間の思考や推論は、「かつ」ないし「または」の結合ではなく、むしろ両者の間に存在する結合を使用している。ここでは、『魔の山』の情報を少しずつ重ねながら、簡単な演算について話を進めていく。

☞ キーワード
集合論と論理学の演算の違い、演算子ラムダとガンマ

Nach Traeger (1993) ist der Unterschied zwischen Mengen- und Logik-Operationen ganz wichtig. Bei Mengen-Operationen werden zwei Fuzzy-Mengen vollständig verknüpft. Am Ende der Operation steht wieder eine Menge. Zum Beispiel wird eine Menge der duldsamen Kinder mit einer Menge der mäßigen Kinder verknüpft. Am Ende steht wieder eine Menge von duldsamen und mäßigen Kindern.

Bei Logik-Operationen werden die Eigenschaften eines betrachteten Elementes verknüpft. Am Ende steht ein Element mit bestimmten Eigenschaften. Die Eigenschaft *duldsam* eines Kindes (z.B. Hans Castorp) wird mit der Eigenschaft *mäßig* dieses Kindes verknüpft (z.B. UND-Verknüpfung) - am Ende steht das Element mit der Eigenschaft *duldsam-mäßig*.

(117) UND-Verknüpfung

$\mu_{A\ UND\ B}(x) = \min\{\mu_A(x);\ \mu_B(x)\}$ sog. Minimum-Operator

$\mu_{A\ UND\ B}(x) = \mu_A(x) \cdot \mu_B(x)$ sog. Produkt-Operator

$\mu_{A\ UND\ B}(x) = \max\{0;\ [\mu_A(x) + \mu_B(x) - 1]\}$

(118) ODER-Verknüpfung

$\mu_{A\ ODER\ B}(x) = \max\{\mu_A(x);\ \mu_B(x)\}$ sog. Maximum-Operator

$\mu_{A\ ODER\ B}(x) = \mu_A(x) + \mu_B(x) - \mu_A(x) \cdot \mu_B(x)$

$\mu_{A\ ODER\ B}(x) = \min\{l;\ [\mu_A(x) + \mu_B(x)]\}$

Interessanterweise ist auch bei der menschlichen Logik und Denkweise die Verwendung der reinen UND- bzw. ODER-Verküpfung eher die Ausnahme. Meistens wird eine Verknüpfung verwendet, die zwischen der UND- und ODER- Verknüpfungen liegt. Im Zauberberg sieht man Hans Castorp als den Helden und Joachim Ziemßen als eine Person an. Hans Castorp ist verwaist, duldsam und mittelgroß. Joachim Ziemßen ist breit, groß und sorgfältig.

Jetzt wird ein duldsamer und starker Mann gesucht, wobei der Einfachheit halber die beiden Eigenschaften *duldsam* und *stark* bei der Auswahl gleich wichtig sein sollen, also gleich gewichtet sind. Für Hans Castorp wird es gesagt, daß er die Eigenschaft *duldsam* erfüllt, doch nur zum Teil als *stark* bestimmt werden kann. Somit könnte die Zugehörigkeit zur Eigenschaft duldsam zu 0.9, zur Eigenschaft *stark* zu 0.5 angenommen.

(119) $\mu_{duldsam}$ (Hans Castorp) = 0.9

μ_{stark} (Hans Castorp) = 0.5

Analog könnte es sich für Joachim Ziemßen festgelegt werden.*

(120) $\mu_{duldsam}$ (Joachim Ziembßen) = 0.6

μ_{stark} (Joachim Ziembßen) = 0.4

Bei der Anwendung des Minimum-Operators ergeben sich die Zugehörigkeiten der einzelnen Personen zur Menge des duldsamen und starken Mann wie folgt.

(121) Für Hans Castorp

$\mu_{duldsam\ UND\ stark}$ (Hans Castorp) = min (0.9; 0.5)

= 0.5

Für Joachim Ziembßen

$\mu_{duldsam\ UND\ stark}$ (Joachim Ziembßen) = min (0.6; 0.4)

= 0.4

Das bedeutet, daß Hans Castorp zur Menge des duldsamen und starken Mannes noch mehr gehört als Joachim Ziembßen.

Nach der klassischen Logik wäre die Menge der duldsamen und starken Männer die leere Menge, denn keiner erfüllt die beiden Eigenschaften *duldsam* und *stark* gleichzeitig und vollständig. Das wird durch die Fuzzy-Logik geschickt ergänzt, weil ein kompensatorischer Operator wie Lambda or Gamma zwischen reinem UND (beide Eigenschaften müssen erfüllt werden) und reinem ODER (eine Eigenschaft muß erfüllt werden) liegen muß. Allerdings entspricht die harte Entscheidung nicht dem menschlichen Empfinden. Mit λ läßt sich festgestellt, wo der Operator zwischen reinem UND und reinem ODER liegt.

(122) $\mu_{A\lambda B}(x) = \lambda \cdot [\mu_A(x) \cdot \mu_B(x)] + (1-\lambda) \cdot [\mu_A(x) + \mu_B(x) - \mu_A(x) \cdot \mu_B(x)]$

mit $\lambda \in [0;1]$

(123) Für $\lambda = 0$ erhält man einen ODER-Operator

$$\mu_{A\,\lambda\,B}\,(x)\,\big|_{\lambda=0} = \mu_A\,(x) + \mu_B\,(x) - \mu_A\,(x) \cdot \mu_B\,(x)$$

$$= \mu_{A\,\text{ODER}\,B}$$

Für $\lambda = 1$ erhält man einen UND-Operator

$$\mu_{A\,\lambda\,B}\,(x)\,\big|_{\lambda=1} = \mu_A\,(x) \cdot \mu_B\,(x)$$

$$= \mu_{A\,\text{UND}\,B}$$

Weiteraus bedeutender ist der Gamma-Operator, der das menschliche Empfinden für das kompensatorische UND recht gut wiedergibt.

(124) $\mu_{A\,\gamma\,B}\,(x) = [\mu_A(x) \cdot \mu_B(x)]^{1-\gamma} \cdot [1 - (1 - \mu_A(x)) \cdot (1 - \mu_B\,(x))]^{\gamma}$ mit $\gamma \in [0;1]$

Ähnlich wie mit λ läßt sich mit dem Parameter Gamma festlegen, wo der Operator zwischen reinem UND und reinem ODER liegt.

(125) Gamma = Null

$$\mu_{A\,\gamma\,B}\,(x)\,\big|_{\gamma=0} = \mu_A(x) \cdot \mu_B(x)$$

$$= \mu_{A\,\text{UND}\,B}$$

(126) Gamma = Eins

$$\mu_{A\,\gamma\,B}\,(x)\,\big|_{\gamma=1} = 1 - (1 - \mu_A(x)) \cdot (1 - \mu_B(x))$$

$$= 1 - [1 - \mu_A(x) + \mu_B(x) + \mu_A(x) \cdot \mu_B(x)\,]$$

$$= \mu_A(x) + \mu_B(x) - \mu_A(x) \cdot \mu_B(x)$$

$$= \mu_{A\,\text{ODER}\,B}$$

(127) Anschaulich

UND	ODER
Lambda = 1	Lambda = 0
Gamma = 0	Lambda = 1
Keine <------------------------------> Volle
Kompensation

Die Negation erfolgt sehr einfach. Die Voraussetzung hierfür ist allerdings die normalisierte Darstellung.

(128) Negation

$$\mu_{\bar{A}}(x) = 1 - \mu_A(x)$$

Die Modifizierer (z.B. *sehr, mehr* oder *weniger*) werden als Operatoren betrachtet, die einen Wahrheitswert zwar beeinflussen aber nicht grundsätzlich ändern. Sie verstärken die Eigenschaften der betrachteten Elemente oder schwächen sie ab. Das sprachliche *sehr* kann mathematisch recht gut durch Quadrieren der Zugehörigkeitsfunktion erreicht werden. *Mehr* oder *weniger* kann mathematisch durch die Quadratwurzel der Zugehörigkeitsfunktion dargestellt werden.

(129)

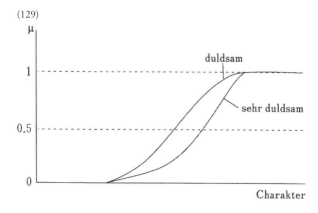

(130)

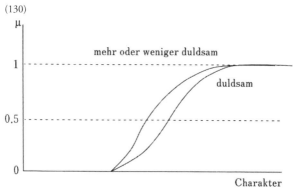

(131) Modifizieren

hitzig

nicht hitzig = 1−hitzig

duldsam

mehr oder weniger duldsam = $\sqrt{duldsam}$

sehr duldsam = duldsam^2

nicht sehr duldsam = 1−sehr duldsam

$$= 1-duldsam^2$$

(132)

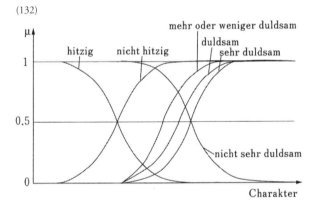

Statt der Kombination einer Fuzzy-Menge mit einem Modifizierer können auch eigenständige Fuzzy-Mengen definiert werden. Das hat zudem den Vorteil, daß die Grenze der einzelnen Mengen individuell festgelegt werden können.

(133)

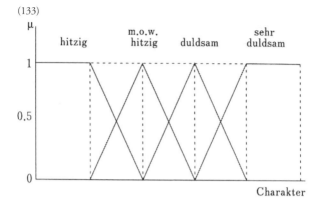

Hier handelt es sich um völlig eigenständige Mengen

解説27

　集合論の演算と論理学の演算の違いを確認しよう。集合論の演算では、2つのファジィ集合が完全に結合し、最後に再び集合ができる。例えば、我慢強い子供の集合は、月並みな子供の集合と結合し、最後に我慢強くて月並みな子供の集合を作る。

　論理学の演算では、考察される要素の特徴が結びづけられ、最後に何れかの特徴を持った要素が現れる。ある子供の我慢強い特徴は、その子供の月並みという特徴と結びついて、我慢強くて月並みな特徴を持った要素(Hans Castorp)になる。

　面白いことに、人間は、論理思考において和結合(117)または共通結合(118)を純粋に使用することは極稀である。たいていは、双方の中間に存在する結合を使用している。『魔の山』の中で、Hans Castorpは主人公であり、Joachim Ziemßenは一人の登場人物である。Hans Castorpは、孤児で我慢強く背丈は中ぐらい。Joachim Ziemßenは、軍人で体の幅があり背丈も大きくて几帳面な男である。

　ここで、我慢強くて強い男が求められているとしよう。簡単のため、双方の特徴は、選択時に同じように重要であることが前提になっている。Hans Castorpは、我慢強いが、強いというほどではない。いわば、我慢強さに対しては、メンバーシップ値が0.9となるが、強さに対しては、0.5ぐらいである。Joachim Ziemßenについても、同様にメンバーシップ値を割り当てることができる。我慢強くて強い男の集合に対する双方のメンバーシップ値を求めるために、最小値を求める演算が適用される。(121)は、Hans CastorpがJoachim Ziemßenよりも我慢強くて強い男の集合により属していることを説明している。

　古典論理では、この点が説明できない。我慢強くて強い男の

集合は、どちらも我慢強くて強い特徴を同時にそして完全に満たしていないため、空の集合になってしまう。一方、ファジィ論理は、こうした点を補うことができる。和結合と共通結合の間に相補演算子ラムダとガンマを置くからである。ラムダ演算子は、パラメータが純粋な和結合と純粋な共通結合の間のどこに位置しているのかを示してくれる（122を参照すること）。そして、$\lambda=0$の場合、共通結合の演算子となり、$\lambda=1$の場合、和結合の演算子になる（123を参照すること）。

ガンマ演算子は、相補的な和結合の演算子ゆえに人間の感情をうまく再現してくれる（124を参照すること）。つまり、2つの集合のうちの一つを優先させる際に効果がある。Gamma = 0の場合、和結合の演算子になり、Gamma =1の場合、共通結合の演算子になる。相補演算子ラムダとガンマの関係は、(127)に示されている。なお、(128)は、否定の表記である。

解説28

修飾語 （*sehr*：とても、*mehr oder weniger*：多かれ少なかれ）もある種の演算子と見なされる。但し、多少の影響は出るが、概ね真理値に変更は出ない。つまり、考察される要素の特徴を強めたり弱めたりする程度である。例えば、*sehr* は、ファジィ理論の中でメンバーシップ関数の2乗によって表記され、*mehr oder weniger* は、メンバーシップ関数の平方根によって表記される。こうした修飾語を使用することにより、ファジィ集合の様々な組み合わせが表記できるようになる。

ファジィ集合と修飾語の組み合わせの代わりに、独自の論理を定義することも可能である。これは、個々の集合の制限をそれぞれ決めることができるといった利点がある。

Kapitel 4　曖昧な数字

要約　対象とする要素自体が曖昧な場合について体温を例に説明していく。例えば、平熱といっても人によって多少の誤差がある。このような場合、インターバルを取りその許容範囲も含めて問題を処理していかなければならない。その際、曖昧な数字のメンバーシップの度合をファジイ集合に対してどのように算出するのかが問題になる。最善の解決策は、二つのメンバーシップ関数の平均値についてその最大値を選択することである。

☞ キーワード
曖昧な数字、体温、インターバル

Traeger (1993) beschreibt, was das ist, wenn die Elemente selbst unscharf sind. Das heißt, ein Element mag also nicht 10 sondern so ungefähr 10 oder 10 ± 10% sein. Diese Problematik trifft wesentlich häufiger auf, als es auf den ersten Blick vielleicht scheint. Alle Meßwerte sind keine absoluten Größen, sondern sie sind mit Toleranzen behaftet.

Streng genommen darf der Wert, den ein Meßgerät anzeigt, nicht vorbehaltlos übernommen werden, sondern muß stets mit den Meß-gerätetoleranzen versehen werden. Diese Vorgehensweise ist in der Meßtechnik selbstverständlich. Anschaulich kann eine unscharfe Zahl als keine unscharfe Menge betrachtet werden, als Intervall, in dessen Mitte die Zahl selbst liegt und dessen Breite durch die Toleranzen bestimmt wird.

Wollen wir zum Beispiel betrachten, daß ein Fieberthermometer eine Körperwärme von 36.0°C anzeigt. Seine Toleranz beträgt ungefähr ±1%. In der Technik hat sich ein dreieckiger Verlauf der Zugehörigkeitsfunktion als besonders praktisch erwiesen.

(134)

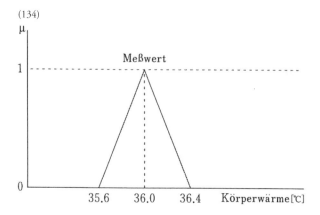

Man erkennt den gemessenen Wert (36.0°C) und die Intervallgrenzen, die durch die Toleranzangaben entstehen. Ein schlechtes Meßgerät mit größeren Toleranzen führt zu einem größeren Intervall, ein unendlich gutes Meßgerät ohne jegliche Toleranz zu einem einzigen, diskreten Wert. Der senkrechte Strich über dem Meßwert wie (135) deutet an, daß es sich um einen Wert mit Toleranzen handelt. (Traeger 1993)

Wie ermittelt man nun den Zugehörigkeitsgrad einer Fuzzy-Zahl zu einer Fuzzy-Menge? Die plausibelste Weise ist die, den maximalen Wert der Zugehörigkeitsfunktion am Schnittpunkt der beiden Zugehörigkeitsfunktionen zu wählen. Zum Beispiel werden die Körperwärme von 36.0°C ±0.4°C und der folgende Kurvenverlauf für die Gesundheit gegeben.

(135)

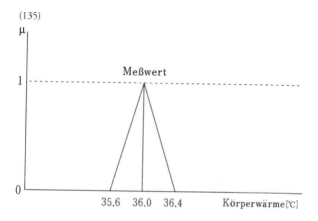

(136)

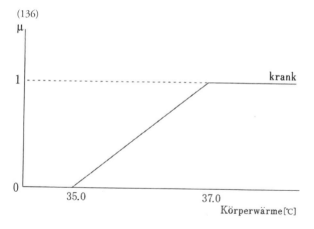

Damit ergibt sich die folgende Figur.

(137)

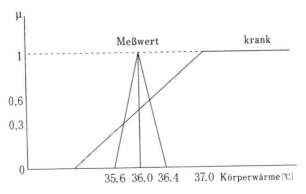

Der Zugehörigkeitsgrad von 36.0°C ± 0.4°C zur Fuzzy-Menge *gesund* liegt im Bereich von 0.3 bis 0.6. Es hat sich als praktisch erwiesen, den Maximalwert zu verwenden.

(138) $\mu_{gesund}(36.0°C \pm 0.4°C) = 0.6$

Sollte eine andere Vorgehensweise doch ein gegebenes Problem besser lösen und sich in das bestehende Gebäude der Fuzzy-Mathematik einfügen lassen, so ist nichts gegen diese andere Vorgehensweise einzuwenden.

(139)

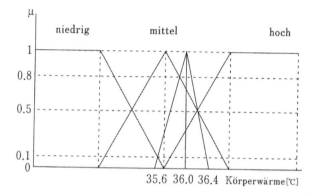

(140) $\mu_{niedrig}(36.0°C \pm 0.4°C) = 0.1$

$\mu_{mittel}(36.0°C \pm 0.4°C) = \max\{0.5; 0.8\} = 0.8$

$\mu_{hoch}(36.0°C \pm 0.4°C) = 0.5$

Zum Beispiel wird ein Fieberthermometer im Zauberberg manchmal zu einem zentralen Thema.

Joachim Ziemßen sagte, "es ist wohl auch bloß Konvention, daß ich hier vier Striche zuviel habe auf meinem Thermometer! Aber wegen dieser fünf Striche muß ich mich hier herumräkeln und kann nicht Dienst machen, das ist eine ekelhafte Tatsache!"

"Hast du 37.5?", sagte Hans Castorp:

"Es geht schon wieder herunter." Und Joachim machte die Eintragung in seine Tabelle. "Gestern abend waren es fast 38.0, das machte deine Ankunft." (Der Zauberberg: 96)

Im anderen Kapitel hat Hans Castorp wieder auch Fieber.

Nach Tische stieg das schimmernde Säulchen auf 37.7, verharrte abends, als der Patient nach den Erregungen und Neuigkeiten des Tages sehr müde war, auf 37.5, und zeigte in der nächsten Morgenfrühe gar nur auf 37.0, um gegen Mittag die gestrige Höhe wieder zu erreichen. (Der Zauberberg: 247)

　要素自体がファジィの場合を考えてみよう。例えば、10ではなくだいたい10または10±10%などの扱い方が問題になる。すべての測定値は、通常、絶対的な量や値ではなく、多かれ少なかれ許容範囲を伴う大きさである。つまり、測定器または測量器が示す値は、無条件で受け入れられるべきではなく、常に測定器などの公差を伴うものとする。こうしたことは、測定技術において自明のことである。

　上記の数字は、インターバルとして考察され、数字自体（例えば、測定値）は、その中央に存在し、その幅は、公差によって規定される。例えば、体温計が36.0℃の体温を示しているとしよう。その公差を±1%にすると、メンバーシップ関数による表記は、三角形になる（134を参照すること）。

　測定値（36.0℃）とインターバルの制限を確認しよう。精度の低い測定器は、公差が大きく、大きなインターバルになる。一方、精度が高い測定器は、限りなく公差が小さく唯一の明白な値になる。また、（135）の垂直の線は、公差による値が問題になることを示している。

　では、曖昧な数字のメンバーシップ値は、どのように算出できるのであろうか。最善の方法は、双方のメンバーシップ関数の交点において最大値を選択することである。例えば、体温計による測定値 36.0℃±0.4℃（135）と健康の目安といえる曲線の流れ（136）が与えられる。それらを重ねると、その結果として（137）が出てくる。ファジィ集合「健常」に対する36.0℃±0.4℃のメンバーシップ値は、0.3から0.6の範囲になる。但し、最大値を使用することが実践的である（138を参照すること）。

　さらに、（139）のように、多くのファジィ集合が問題になる場

合もある。平熱には個人差があり、低い人もいれば、高い人もいる。つまり、ここで紹介した方法とは異なるものが、よりうまくこうした問題を解決できるのであれば、無論それをやさしい曖昧な数学に取り入れることに異論はない。

解説30

体温計は、『魔の山』の中でしばしば話題になる。それは、療養所ゆえに検温が義務づけられているためである。Joachim Ziemßen が検温の際にぼやく場面がある。Joachim は、カタルを患っているため時々発熱する。昨晩38.0℃あった熱が37.5℃に下がった時、体温計についている目盛りを見ながら、この目盛りのおかげで軍務につけないと Hans Castorp に心境を語っている。(Der Zauberberg: 96)

また、Hans Castorp が発熱する場面もある。ある日の朝食後、体温計の水銀柱が37.7℃に上昇し、晩方は37.5℃で落ち着いていたが、翌日の早朝は37.0℃に下がり、昼時にはまた37.7℃に上がる様子が描かれている。(Der Zauberberg: 247)

Kapitel 5　ファジィコントロール

要約　一般的にファジィコントロールは、3つの構成要素からなっている（ファジィ化、ファジィ推論そして脱ファジィ化）。ファジィ化は、ファジィ集合を使用して様々な数学上の概念を拡張していく。例えば、数字をファジィ化し、こうした曖昧な数からなるファジィ集合を処理するためにさらに関数をファジィ化する。ファジィ推論とは、「温度が高くて圧力も高ければ、弁は完全に開く」というような公式に基づいた規則のことである。そして、こうした曖昧な内容が脱ファジィ化により具体的な数字に変換され、その数値が重心として算出される。

☞ **キーワード**
ファジィ化、ファジィ推論、脱ファジィ化

　　Die Hauptgebiete der Fuzzy-Logik sind die Regelungstechnik und Entscheidungsfindungsprozesse. Aber es handelt sich hier besonders nur um die Regelungstechnik, weil Entscheidungsfindungsprozesse ganz kompliziert zu erklären sind. Die Möglichkeit, wie der Mensch aufgrund ungenauer Werte einen Prozeß schnell und einfach regeln kann, läßt die regelungstechnische Anwendung der Fuzzy-Logik mehr als sinnvoll erscheinen.

　　Mit der Fuzzy-Regelung (Fuzzy-Kontrolle) können sogar Prozesse geregelt werden, die bisher noch nicht automatisch zu regeln waren. Da Fuzzy-Kontrolle kein mathematisches Prozeßmodell, sondern Ein- und Ausgangsgrößen sowie Verarbeitungsregeln auf der Basis von einfachen sprachlichen Formulierungen (z.B. wenn Temperatur hoch und Druck sehr hoch dann Ventil ganz auf) benötigt, können auch Prozesse mit schwer oder teilweise gar nicht zugänglichen Prozeßparametern geregelt werden. Im allgemeinen besteht Fuzzy-Kontrolle aus Fuzzifizierung, Inferenz und Defuzzifizierung. (Traeger 1993)

a) Fuzzifizierung

Unter Fuzzifizierung (Unscharfmachen) versteht man das Zuordnen eines gegebenen scharfen Wertes zu einer Fuzzy-Menge. Der Zugehörigkeitsgrad des Wertes zur Fuzzy-Menge wird dabei von der Zugehörigkeitsfunktion bestimmt, wobei er auch mehreren Fuzzy-Mengen angehören kann. In der regelungstechnischen Praxis haben sich Zugehörigkeitsfunktionen mit stückweise linearem Verlauf bewährt. Zum Beispiel ist der Grad (V_0) der Erwartung (siehe das nächste Zitat) von Hans Castorp 7 (der Index wird verwendet, um seine Erwartung darzustellen). Gegeben seien die Zugehörigkeitsfunktionen durch (141).

(141)

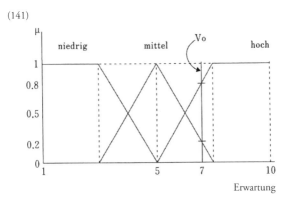

Daraus ergeben sich die folgenden Formeln.

(142) $\mu_{mittel}(V_0) = 0.2$

$\mu_{hoch}(V_0) = 0.8$

Die Erwartung (V_0) gehört also zu 0.2 in der Fuzzy-Menge *mittel* und zu 0.8 in der Fuzzy-Menge *hoch*. Man kann auch sagen, V_0 ist zu 20% eine mittlere und zu 80% eine hohe Erwartung.

b) Inferenz

Inferenz wird immer durch die Verknüpfungsvorschriften der Variablen geleistet. Die Verknüpfungsvorschriften werden auch als Verarbeitungsregeln oder Produktionsregeln bezeichnet.

(143) Syntax für die Produktionsregeln

Wenn (Prämisse 1) UND/ODER (Prämisse 2)

Dann (Schlußfolgerung)

Zum Beispiel wird ein Zustand der Kindheit von Hans Castorp beschrieben.

"Die sonderbare, halb träumerische, halb beängstigende Empfindung eines zugleich Ziehenden und Stehenden, eines wechselnden Bleibens, das Wiederkehr und schwindelige Einerleiheit war, - eine Empfindung, die ihm von früheren Gelegenheiten her bekannt war, und von der wieder berührt zu werden er erwartet und gewüscht hatte: sie war es zum Teil, um derentwillen ihm die Vorzeigung des stehend wandernden Erbstücks angelegen gewesen war." (Der Zauberberg: 37)

Wenn seine Erwartung der Berührung mit der Empfindung hoch ist UND plötzlich der Wunsch auftaucht DANN seine Ironie ist stark. In der Regelungstechnik hat es sich für die UND-Verknüpfung der Minimum-Operator erweist. Kompensatorische Operatoren wie der Gamma-Operator können sinnvoll nur auf leistungsfähigen Rechnern verwendet werden.

Bei der Max/Min-Methode werden die Teilflächen der Zugehörig-keitsfunktion der Ausgangsvariablen in Höhe der jeweils ermittelten Zugehörigkeitswerte abgeschnitten.

(144) μ_{mittel} (Ironie) = 0.2

μ_{stark} (Ironie) = 0.8

Damit ergibt sich eine Konstellation nach (145). Als Lösungsmenge wird die graue Flache erhalten (der Index wird verwendet, um die Ironie von Hans Castorp darzustellen).

(145)

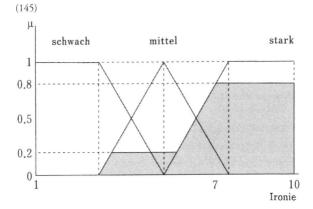

Bei der Max/Prod - Methode werden die Teilflächen der Zugehörigkeitsfunktionen der Ausgangsvariablen einfach mit ihren jeweils
ermittelten Zugehörigkeitswerten multipliziert.

(146) μ_{mittel} (Ironie) = 0.2

μ_{stark}(Ironie) = 0.8

Damit ergibt sich eine Konstellation nach (147). Als Lösungsmenge
wird die graue Fläche erhalten.

(147)

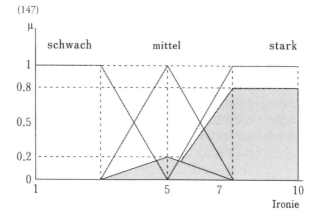

c) Defuzzifizierung

Bei der Defuzzifizierung wird der exakte Wert der Ausgangsvariablen ermittelt, die noch verschiedenen Fuzzy-Mengen zugeordnet ist. Das heißt, die Defuzzifizierung ist die Umsetzung eines unscharfen Sachverhaltes in konkrete Zahlen und Werte. Bei der Max/Min- oder der Max/Prod-Methoden ermittelt man den Schwerpunkt durch numerische Integrationsverfahren.

解説31

　ファジィ論理の主要領域は、ファジィコントロールである。ファジィの値に基づきプロセスを素早く簡単に規則化できれば、ファジィ論理の適用が意義のあるものになるからである。ファジィコントロールとは、数学的なプロセスモデルではなく、「温度が高くて圧力も高ければ、弁は完全に開く」といった表現を形式化した単純な規則である。それ故に、部分的にプロセスパラメータを伴って規則化されることもある。ファジィコントロールは、ファジィ化、推論そして脱ファジィ化により構成される。それでは一つ一つ見ていくことにしよう。

a) ファジィ化

　曖昧でない値をファジィ集合へ割り当てることが問題になる。その値のファジィ集合に対するメンバーシップ値は、メンバーシップ関数が決定する。実際、メンバーシップ関数は、一つ一つ線的な流れによって証明される。例えは、Hans Castorp のめまいとの触れ合いを期待する度合 (V_0) は、7である。ここでは簡単のため、期待を指数で表す。(141) によりメンバーシップ関数が与えられると、結果として (142) が出てくる。すると彼のイロニー (V_0) は、ファジィ集合中ぐらいにおいて0.2、ファジィ集合高いにおいて0.8になる。*

b) 推論

　推論は、変数の結合規則により実行され（143を参照すること）、加工規則または生産規則としても表記される。例として、Hans Castorp の幼年時代を考えてみよう。(Der Zauberberg: 37)
　両親が亡くなってから、祖父がなくなるまでの1年半の間、

Hans Castorp は、祖父の下で生活した。Hans Castorp が祖父を見やっている場面がある。特別で半分夢を見ているようなそして半分不安な感情、それが交互にやってきてしばらく留まり再び戻っていく。一種のめまいである。幼い Hans Castorp は、以前から知っているこうした感情に触れることを期待しそしてまた希望した。Hans Castorp の期待が高まり、突然その願望が姿を現すと、彼のイロニーは強くなる。

　ここで、和結合には最小値の演算子が、また共通結合には最大値の演算子が割り当てられる。そして、これまで記述したすべての規則を利用することにより、出力変数のメンバーシップ関数の都度の値が算出される。

　最大/最小の方法は、出力変数のメンバーシップ関数の面が算出されたメンバーシップ値によって部分的に灰色で区切られる。最大/積の方法は、出力変数のメンバーシップ関数の面が都度算出されたメンバーシップ値により決められる。

c) 脱ファジィ化

　脱ファジィ化は、様々なファジィ集合に割り当てられる出力変数の正確な値を算出する。つまり、曖昧な事柄を具体的な数字や値に変換していく。最大/最小または最大/積の方法によって数字が統合され、重心が算出される。

要約　Thomas Mannのイロニーを分析するために、まず記憶について考える。それは、推論が記憶や知識によって支えられているためである。主人公のHans Castorpが療養所で知り合ったClawdia Chauchatと演じるイロニー的な距離とDr.Krokowskiが療養所で行う講演や日常の会話の中で用いる音に関するイロニーの問題を、形式論として採用したファジィ理論によって表記していく。ここでの分析は、計算文学の分野で今後の基礎研究になるであろう。

☞ **キーワード**
記憶、イロニー的な距離、音の情報

a) Gedächtnis

Wie es schon erklärt wurde, dient das Gedächtnis als Grundlage zum ironischen Verhältnis, weil eine Folgerung auf ihm beruht. Die Beispiele werden bewußt vereinfacht, um das Verständnis der Fuzzy-Logik nicht unnötig zu erschweren.

In Seemann (1991) wird es so erklärt, das Gedächtnis sei durch die Fähigkeit charakterisiert, Informationen speichern zu können und diese bei Bedarf wieder abzurufen. Dafür gibt es zwei unterschiedliche Arten: das Kurzzeitgedächtnis und das Langzeitgedächtnis. In jenem Gedächtnis werden Informationen für wenige Sekunden bis Minuten gespeichert. Im Gegensatz dazu kann in diesem Gedächtnis ein gespeichertes Wissen ein Leben lang in Verwahrung genommen werden.

Im Kurzzeitgedächtnis gibt es zwei Arten, d.h. sensorisches und primäres Gedächtnis. Sensorische Reize werden für die Dauer von wenigen hundert Millisekunden zunächst automatisch in einem sensorischen Gedächtnis gespeichert, um dort für den Kurzzeitspeicher codiert zu werden und um die wichtigsten Merkmale zuzuziehen.

Das Vergessen beginnt sofort nach der Aufnahme. Die Übertragung der Information aus dem kurzlebigen sensorischen in ein dauerhaftes Gedächtnis kann auf zwei Wege erfolgen: der eine ist die verbale Codierung der sensorischen Daten. Der andere ist ein nicht-verbaler Weg, über den wenig bekannt ist.

Primäres Gedächtnis dient zur vorübergehenden Aufnahme verbal codierten Materials. Seine Kapazität ist noch kleiner als die des sensorischen Gedächtnisses. Nicht-verbal codiertes Material wird vom primären Gedächtnis in das dauerhafte sekundäre Gedächtnis durch Üben erleichtert wie z.B. aufmerksames Wiederholen.

Im Langzeitgedächtnis gibt es auch zwei Arten: sekundäres und tertiäres Gedächtnis. Sekundäres Gedächtnis ist ein großes und dauerhaftes Speichersystem. Der Organisationsunterschied zum primären Gedächtnis wird durch die Art der Fehler deutlich, die beim Rückruf aus den Speichern auftreten können: beim primären Gedächtnis handelt es sich meistens um Verwechselung phonetisch ähnlicher Laut, wie p oder b, beim sekundären Gedächtnis werden eher Wörter mit ähnlicher Bedeutung verwechselt.

Ein anderes Unterscheidungsmerkmal ist die Zugriffszeit: sie ist schnell im primären Gedächtnis, langsam im sekundären Gedächtnis. Vergessen im sekundären Gedächtnis scheint weitgehend auf Störung (Interferenz) des zu lernenden Materials durch vorher Gelerntes zu beruhen. Zuerst eine proaktive Hemmung, dann eine retroaktive Hemmung. Proaktive

Hemmung ist der wichtigere Faktor, da wir bereits über einen großen Vorrat an Gelerntem verfügen. So gesehen wäre an einem Großteil unseres Vergessens das breits vorher Gelernte schuld.

Bei tertiärem Gedächtnis handelt es sich um Engramme, z.B. den eigenen Namen, die Fähigkeit zu lesen und zu schreiben, oder andere täglich praktizierte Handfertigkeiten, die durch jahrelanges Üben praktisch nie mehr vergessen werden, auch nicht, wenn aus klinischen Gründen alle andere Gedächtnisinhalte verloren gehen.

Diese Engramme zeichnen sich außerdem durch extrem kurze Zugriffszeiten aus. Sie sind möglicherweise in einer besonderen Gedächtnisform, dem tertiären Gedächtnis gespeichert. Es kann sich aber auch um lediglich besonders gut konsolidierte Engramme im sekundären Gedächtnis handeln. Das Modell des Langzeitgedächtnis entspricht dem sekundären plus dem tertiären Gedächtnis.

Zum Beispiel wären Hans Castorp und Joachim Ziemßen in der Tat beinahe mit Hofrat Behrens zusammengestoßen:

"Hoppla, Achtung die Herren!" sagte Behrens. "Das hätte leicht schlecht ablaufen können für die beiderseitigen Hühneraugen." Er sprach stark niedersächsisch, breit und kauend. (Der Zauberberg: 68)

Die Verwechselung phonetisch ähnlicher Laut ist ein primäres Gedächtnis von Hans Castorp. Das Beispiel führt zu einem besonders interessanten Element des Linguistischen im Zauberberg. (Gauger 1975)

Wie es schon gesagt wurde, handelt es sich beim sekundären Gedächtnis um Verwechselung der Wörter mit ähnlicher Bedeutung.

"Alltäglich ließ sich Hans Castorp beim Coiffeur in der Hauptstraße von Dorf das Haar schneiden. Plötzlich flog mit einer Art von Schrecken, dem neugieriges Ergötzen beigemischt war, jener Schwindel ihn an: ein Schwindel in des Wortes schwankender Doppelbedeutung von Taumel und Betrug, das wirbelige Nicht-mehr-unterscheiden von Noch und Wieder, deren Vermischung und Verwischung das zeitlose Immer und Ewig ergibt. (Der Zauberberg: 753)

Beim tertiären Gedächtnis sind täglich praktizierte Handfertigkeiten wichtig. Auf dem Bahnhof Davos-Dorf vernahm Hans Castorp plötzlich neben sich Joachim Ziemßens Stimme, seines Vetters gemächliche Hamburger Stimme, die sagte: "Tag, du, nun steige nur aus." (Der Zauberberg: 14) Thomas Mann gibt also einen diskreten Hinweis auf die mundartliche Färbung der Sprache Joachims. (Gauger 1975)

　Seemann(1991)によると、記憶とは、予め蓄えられた情報を必要に応じて呼び出すことができる能力のことである。簡単にいうと、記憶には短期記憶と長期記憶がある。前者は、数秒から数分間蓄えられる情報であり、後者は、一生の間保存することができる情報である。

　短期記憶には、感覚知覚的なものと一次的なものがある。感覚知覚的な刺激は、数百ミリセカンドもない間にコード化され、重要な特徴を引き出せるように自動的に感覚記憶に蓄えられる。しかし、経験からもわかるようにたちまちにして忘れてしまう。短期間の感覚知覚的な記憶から継続的なものへ情報を移動させる場合、通常、感覚的なデータをことばによりコード化する方法が採用されている。

　一次記憶は、ことばによりコード化されたデータを一時的に取り出す際に役に立つ（例えば、勘違い）。この容量は、感覚知覚的な記憶に比べて小さくなる。また、非言語的にコード化されたデータは、訓練によって一次記憶から継続的な二次記憶へと移動する（例えば、注意深く繰り返すこと）。

　長期記憶には、二次記憶と三次記憶がある。二次記憶は、継続的な大きい記憶システムである。一次記憶との組織上の違いは、記憶からデータを呼び出す際に生じる間違え方によって明らかになる。一次記憶の場合、pとbのような音声的に似ている音の取り違えが問題になり、二次記憶の場合は、類似した意味による単語の取り違えが問題になる。その他の弁別特徴として、データ処理の時間を考えることができる。

　例えば、一次記憶は速く、二次記憶は遅くなる。二次記憶における忘却は、事前に学習したことを通して学ぶべき題材に

干渉することが原因になっている。つまり、こうした忘却は、物事が起こる前に反応する先走りによる障害から起こっている。先見的な障害は、学習したことに関する多くの蓄えを自由に処理することができるため、重要な要素になる。こう考えると、大部分の忘却は、予め学習したことに責任があり、また物事が起こった後にも障害が生じるため、複雑さを理由にここでは触れないことにする。

　三次記憶において問題になるのは、記憶痕跡（エングラム）である。例えば、これは、固有名詞、読み書きの能力、医学的な理由で他のすべての記憶が失われたとしても、もはや忘れることのない手先の器用さなどのことである。三次記憶という特別な記憶形式の中に蓄えられているこうした記憶痕跡は、極めて短い時間のデータ処理により際立ってくる。但し、二次記憶の中で著しく固まってしまった記憶痕跡も同じように扱うことができる。それ故、長期記憶のモデルは、二次記憶と三次記憶に相応するものになる。

解説33

　経験や体験に基づいた記憶や学習から得た知識は、推論の土台になる。ダボスの療養所に着いて間もない Hans Castorp は、Joachim Ziemßen から平地と異なる山の上の慣習について話を聞かされる。そして、ホールから出てくる二人が主治医の Behrens と危うくぶつかる場面がある。

　Behrens は、「おい、気をつけてくれ」と二人にいう。「お互いにとって事の事情が幾分悪くなるケースもありえたぞ」と強い Niedersachsen（オランダと接するドイツ北部）地方の方言で、くどくどした何かを噛むような口調である。Hans Castorp は、Hamburg（北欧への玄関口）の出身で、発音などに特徴が出る方

言によることばの違いは、理解できたと思われる。(Der Zauberberg: 68) これは、記憶から呼び出す際に、似ている音声を誤って取り違えてしまう一次記憶の特徴に通じる。

　また、二次記憶は、似通った単語の意味を取り違えることを問題にする。Hans Castorp は、通常ダボスのメインストリートにある床屋で散髪してもらう。突然、好奇心の強い喜びが混ざったある種の驚きを伴うめまいに襲われる。よろめきと欺瞞からなることばの揺れ動く二重の意味によるめまい。まだと再びが渦をまいてもはや区別ができなくなっている。(Der Zauberberg: 753) これは、めまいにより、時間の概念が識別できなくなるほど Hans Castorp の二次記憶が支障をきたしている例である。

　三次記憶は、体にしみこんだ記憶痕跡が問題になる。Hans Castorp は、3週間の予定で夏季休暇を過ごすため、ダボスに療養中の Joachim Ziemßen を訪ねる。ダボス駅における再会の場面で、列車がまもなくダボス駅に到着する際に、ハンブルクの声を耳にする。(Der Zauberberg: 14)

　Thomas Mann は、確かに Joachim Ziemßen の声によって方言の色合いを出したかったのであろう。(Gauger 1975) 実際に、Hans Castorp は、Joachim Ziemßen を固有名詞として記憶に留めており、これは、ことばの問題を越えたある種のエングラムの例と見なすことができる。Hans Castorp は、Joachim Ziemßen を三次記憶という特別な記憶形式の中に蓄えていて、極めて短い時間でそのデータを処理している。

b) Ironische Distanz

Fuzzifizierung der Distanz von Hans Castorp zu Frau Chauchat. Betrachtet werden die Eigensdiaften *nahe, mittel* und *entfernt*. Der Verlauf der Zugehörigkeitsfunktionen kann willkürlich festgelegt werden. (Traeger 1993)

(148)

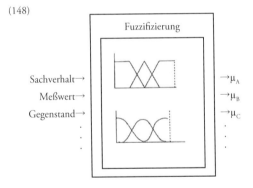

"Du hast neues Kleid", sagte er, um sie betrachten zu dürfen, und hörte sie antworten:

"Neu? Du bist bewandert in meiner Toilette?"

"Habe ich nicht recht?"

"Doch. Ich habe es mir kürzlich hier machen lassen, bei Lukaçek im Dorf. Er arbeitet viel für Damen hier oben. Es gefällt dir?"

"Sehr gut", sagte er, indem er sie mit dem Blick noch einmal umfaßte und ihn dann niederschlug. "Willst du tanzen?" fügte er hinzu.

"Würdest du wollen?" fragte sie mit erhobenen Brauen lächelnd dagegen, und er antwortete:

"Ich täte es schon, wenn du Lust hättest."

"Das ist weniger brav, als ich dachte, daß du seist", sagte sie, und da er wegwerfend auflachte, fügte sie hinzu: "Dein Vetter ist schon gegangen."

"Ja, er ist mein Vetter", bestätigte er unnötigerweise. "Ich sah auch vorhin, daß er fort ist. Er wird sich gelegt haben."

"C'est un jeune homme très étroit, très honnête, très allemand."

"Étroit? Honnêt?" wiederholte er, "Ich verstehe Französisch besser, als ich es spreche. Du willst sagen, daß er pedantisch ist. Hältst du uns Deutsche für pedantisch - nous autres Allemands?"(Der Zauberberg: 466)

"Das wollen wir", wiederholte Hans Castorp mechanisch. Sie sprachen leise, unter Tönen des Klaviers. "Wir wollen hier sitzen und zusehen wie im Traum. Das ist für mich wie ein Traum, mußt du wissen, daß wir so sitzen,- comme un rêve singulièrement profond, car il faut dormir très profondément pour rêver comme cela ... Je veux dire: C'est un rêve bien connu, rêvé de tout temps, long, éternel, oui, être assis près de toi comme à présent, voilà l'éternité."

"Poète!", sagte sie. "Bourgeois, humaniste et poète, - voilà l'Allemand au complet, comme il faut!"(Der Zauberberg: 468)

Es ist wichtig, daß es eine Zuordnung gibt, die einem gegebenen Sachhalt einen Zugehörigkeitsgrad in einer definierten Art und Weise zuordnet. Die Zahl und der Verlauf der einzelnen Zugehörigkeitsfunktionen können nachträglich noch modifiziert werden. Im Verlauf

der Zugehörigkeitsfunktion (149) ergibt sich nach der Figur (150) die
Distanz von Hans Castorp zu Frau Chauchat (3.4m):

(149)

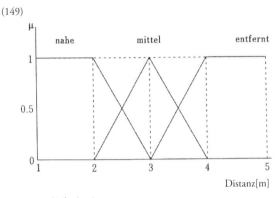

μ_{nahe} (3.4 m) = 0
μ_{mittel} (3.4 m) = 0.6
$\mu_{entfernt}$ (3.4 m) = 0.4

(150)

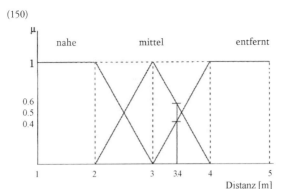

Eine Distanz von 3.4 m ist also zu 60% als mittel, zu 40% als entfernt und überhaupt nicht als nahe (0%) einzustufen. Daß die Summe der einzelnen Zugehörigkeitsgrade gerade wieder 1 (100%) ergibt, hat sich in der Regelungstechnik als besonders praktisch erwiesen. (Allerdings ist 100% kein wichtiger Punkt.)

Bei der Inferenz werden vorher festgelegte Regeln auf die in der Fuzzifizierung ermittelten Zugehörigkeitsgrade μ_i angewandt.

(151)

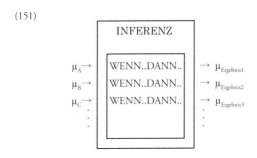

Es handelt sich um die Inferenz der Zugehörigkeitsgrade der Distanz (3.4 m). Es soll festgelegt werden, wie nahe/entfernt die Distanz ist.

Zuerst werden die Verarbeitungsregeln aufgestellt. Die Regeln beruhen meistens auf Erfahrungen. Zum Beispiel, WENN Prämisse DANN Schlußfolgerung. In der ironischen Distanz könnte ein einfaches Regelwerk etwa wie folgt aussehen.

(152) a. WENN Distanz nahe DANN ironische Distanz entfernt.

b. WENN Distanz mittel DANN ironische Distanz mittel.

c. WENN Distanz entfernt DANN ironische Distanz nahe.

Das Maß, wie nahe, mittel oder entfernt die Distanz sein muß, ist wieder ein Zugehörigkeitsgrad.

Dann, wenn die Verknüpfungen wie UND, ODER etc. in den Verarbeitungsregeln auftreten, muß ein geeigneter Operator (Minimum-Operator, Maximum-Operator,...) ausgewählt werden. In der Praxis haben sich der Minimum-Operator für die UND-Verknüpfung und der Maximum-Operator für die ODER-Verknüpfung bewährt, da sie viele Probleme mit geringem Rechnenaufwand lösen.

Schließlich werden die Zugehörigkeitsgrade der Ergebnisteilmengen berechnet. Bei nur einer Prämisse wird der Wert des Zugehörigkeitsgrades aus der Prämisse für den Zugehörigkeitsgrad der Schlußfolgerung übernommen. Allerdings muß mindestens eine Inferenz-Regel für jede Fuzzy-Menge existieren.

(153) a. WENN Distanz mittel DANN ironische Distanz mittel.

Es sei

μ_{mittel} (Distanz) = 0.6

$\Rightarrow \mu_{mittel}$ (Ironische Distanz) = 0.6

(153) b. Bei mehreren Prämissen:

WENN Distanz mittel oder Distanz entfernt DANN ironische Distanz nahe.

Es sei

μ_{mittel} (Distanz) = 0.6

und

$\mu_{entfernt}$ (Distanz) = 0.4

Für die ODER-Verknüpfung wird der Maximum-Operator gewählt.

$\Rightarrow \mu_{nahe}$ (Ironische Distanz)

=max $\{\mu_{mittel}$ (Distanz) ; $\mu_{entfernt}$ (Distanz)$\}$

=max $\{0.6 ; 0.4\}$

= 0.6

Die Fuzzy-Mengen der Ausgangsgröße können in Höhe ihrer Zugehörigkeitsgrade (Ergebnisse der WENN-DANN-Verarbeitungsregeln) abgeschnitten werden (Max/Min-Methode). Das ist eine Möglichkeit, den Zugehörigkeitsgrad des Ergebnisses auf die einzelnen Fuzzy-Mengen der Zugehörigkeitsfunktionen der Ausgangsgröße zu übertragen.

Gegeben sei außerdem der folgende Verlauf der Zugehörigkeitsfunktionen der ironischen Distanz (Verlauf willkürlich gewählt).

(154)

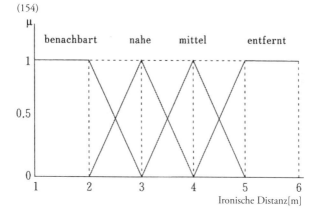

Es sei

μ_{nahe} (Distanz) = 0

μ_{mittel} (Distanz) = 0.6

$\mu_{entfernt}$ (Distanz) = 0.4

Damit

μ_{nahe} (Ironische Distanz) = 0.4

μ_{mittel} (Ironische Distanz) = 0.6

$\mu_{entfernt}$ (Ironische Distanz) = 0

Nach der Max/Min-Methode ergibt sich,

(155)

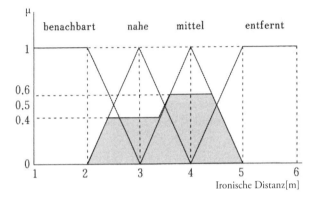

Die Teilflächen werden zu einer Gesamtfläche zusammengefaßt, so daß man als Fuzzy-Ergebnismenge die graue Fläche erhält. Der konkrete Wert der Distanz wird bei der Defuzzifizierung ermittelt.

Die Defuzzifizierung ist die Umsetzung eines unscharfen Sachverhaltes in konkrete Zahlen und Werte. Im allgemeinen kann man sagen, daß die Defuzzifizierung mit Hilfe des Flächenschwerpunktes gute Ergebnisse liefert.

(156)

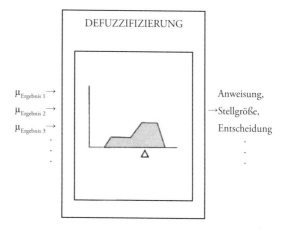

Hier handelt es sich um die Defuzzifizierung der Ergebnismenge der Distanz. Es soll festgelegt werden, welche Distanz am Nahe-Entfernt-Mischer eingestellt werden muß. Hier wird eine Defuzzifizierungsmethode vorgestellt, die Mean of Maximum (Maximum-Mittelwert) genannt wird. Die Methode eignet sich wohl eher für die überschlagsmäßige Berechnung und der Abszissenwert wird als Wert für die Ausgangsgröße unter der Mitte des Maximalwertes der Ergebnissmenge verwendet.

(157)

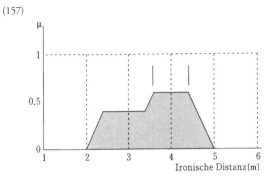

Es ergibt sich eine ironische Distanz von 4 m. Es ist zu bemerken, daß bei dieser Methode eine Überlapping von Teilflächen nicht berücksichtigt ist.

　Hans Castorp の Chauchat 婦人に対する距離（3.4 m）をファジィ化する。考察される特徴は、近い、中ぐらいそして離れているである。最初に個々のファジィ集合を確定し、次にメンバーシップ関数の推移を恣意的に選択する。ファジィ化では、所与の事柄に対してメンバーシップ値を割り当てることが重要になる。また、メンバーシップ関数の推移は、後で修正することができる。

　Hans Castorp は、Chauchat 婦人の脇に座り、謝肉祭を祝う療養所の住民たちの舞踏会を見物する。Chauchat 婦人は、Hans Castorp がかねてから興味を持っていた女性である。会場でChauchat 婦人を見つけた Hans Castorp は、彼女が謝肉祭用に着飾っていることに気がつく。衣装のことを尋ねたりダンスに誘ったりもするが、彼女からは、色よい返事が返ってこない。気を引こうとして得意のフランス語を使って話しかけてみると、従兄弟の方はもう退場したけどあなたはまだここにいるのという返事である。Hans Castorp は、ドイツ人に対して融通のきかない小事にこだわるイメージがあるのかと聞き返す。

　こうしたやりとりをしながら、Chauchat 婦人の隣に座っていることが Hans Castorp には夢のようで、まるで深い永遠の眠りに陥るかのような気持ちであった。一方、Chauchat 婦人は、ドイツ人をブルジョワ、ヒューマニストそして詩人として特徴づける。

　先にも述べたように、イロニー的な距離とは、物事を正確に把握すると同時に批判的にも捉えることができる間隔のことで

ある。Hans CastorpとChauchat婦人の距離（3.4 m）に関するメンバーシップ値を割り当てると、近いは0%、中ぐらいは60%、遠いは40%になる。ここで注意するべきことは、この値が単なる物理的な距離ではなく心理的な距離も表している点である。次に、ファジィ化で算出したメンバーシップ値に推論規則を適用する。推論規則は、日常の経験に基づいている。

　例えば、〈前提1〉ならば、〈結論〉となる推論規則が使用される。距離が近ければ離れ、中ぐらいならばそのままで、遠ければ近くなる。また、結合演算子も問題になる。問題を短時間で解決するために、和結合には最小値の演算子が、共通結合には最大値の演算子が適用される。そして最後に出力の部分集合のためのメンバーシップ値が計算される。これは、結論を導くメンバーシップ値のための前提から引き継がれる（153aおよび153b）。

　個々のファジィ集合には、最低一つの推論規則が存在しなければならない。出力値のメンバーシップ値は、高い方できられている。これは、最大/最小の方法と呼ばれており、出力となるメンバーシップ関数の各ファジィ集合に対して、その結果となるメンバーシップ値を移行する方法である。この方法によるメンバーシップ値の推移は、(154)と(155)に示されている。

　但し、この推移は、恣意的な選択である。(155)によりファジィの出力集合として灰色の部分が保持されていることがわかるであろう。調節が必要になるイロニー的な距離の値は、脱ファジィ化において算出される。

　脱ファジィ化は、ファジィ的な事柄を具体的な数や値に変換していく。一般的に、重心に基づいた脱ファジィ化が経験に見合った結果をもたらしてくれる。ここでは、「遠近の混合器」においてどれほどの距離を調節すればよいのか確認する。

脱ファジイ化の方法として、最大値の中間を取るものが採用される。これは、出力集合の最大値の中間にあたる横座標の値を出力値として使用する方法である。物理的で心理的な距離を測定する場合、置かれた状況によって数字の持つ意味が異なることは、主観的な印象や個人の経験に基づいて理解できる。求められたイロニー的な距離は、4mになる（157を参照すること）。但し、部分的な平面のオーバーラップは、ここでは顧慮していない。

Fuzzifizierung der Distanz von Hans Castorp, Dr. Krokowski und Joachim Ziemßen. Hier handelt es sich um die Stimme von Dr. Krokowski. Betrachtet werden die Eigenschaften *leise, mild* und *geziert*. Der Verlauf der Zugehörigkeitsfunktionen kann willkürlich festgelegt werden. (Traeger 1993)

"Im Saal war Hans Castorp da, um den Vortrag von Dr. Krokowski zu hören. Der Titel war die Macht der Liebe. Seine schleppender Bariton, sein weich anschlagendes r tönte wie aus weiter Ferne in die Träumerei von Hans Castorp herein. Im Vortrag gebraucht Dr. Krokowski das Wort *Liebe* in einem leise schwankenden Sinn. Diese schlüpfrigen anderthalb Silben mit dem Zungen-, dem Lippenlaut und dem dünnen Vokal in der Mitte wurden ihm auf die Dauer recht widerwärtig, eine Vorstellung verband sich für ihn damit wie von gewässerter Milch, - etwas Weißbläulichem, Labberigem, zumal im Vergleich mit all dem Kräftigen, was Dr. Krokowski genaugenommen darüber zum besten gab." (Der Zauberberg: 177)

Dieser Widerstreit zwischen den Mächten der Keuschheit und der Liebe, sagte Dr. Krokowski. Er endige scheinbar mit dem Siege der Keuschheit. Aber die unterdrückte Liebe sei nicht tot, sie lebe, sie trachte im Dunklen und Tiefgeheimen auch ferner sich zu erfüllen. In Gestalt der Krankheit wiederkehre die unzugelassene Liebe. Das Krankheitssymptom sei verkappte Liebesbetätigung und alle Krankheit verwandelte Liebe.

Nach dem Vortrag blieb Hans Castorp stehen im Strom, seine

Stuhllehne in der Hand. Ich bin nur zu Besuch hier, dacht er, ich bin gesund und den nächsten Vortrag erlebe ich gar nicht mehr hier. Dabei bemerkte er nicht, daß Joachim zwischen den Stühlen auf ihn zukam. (Der Zauberberg: 183)

"Du kamst aber im letzten Augenblick", sagte Joachim. "Bist du weit gewesen? Wie war es denn?"

"Oh, nett", erwiderte Hans Castorp. "Doch, ich war ziemlich weit. Aber ich muß gestehen, es hat mir weniger gutgetan, als ich erwartete. Ich werde es vorläufig nicht wieder tun."

Ob ihm der Vortrag gefallen, fragte Joachim nicht, und Hans Castorp äußerte sich nicht dazu. (Der Zauberberg: 184)

"Sie scheinen überrascht, mich zu sehen, Herr Castorp", hatte Dr. Krokowski mit baritonaler Milde, schleppend, unbedingt etwas geziert und mit einem exotischen Gaumen-r gesprochen, das er jedoch nicht rollte, sondern durch ein nur einmaliges Anschlägen der Zunge gleich hinter den oberen Vorderzähnen erzeugte; "ich erfülle aber lediglich eine angenehme Pflicht, wenn ich bei Ihnen nun auch nach dem Rechten sehe. Ihr Verhältnis zu uns ist in eine neue Phase getreten, über Nacht ist aus dem Gaste ein Kamerad geworden." (Das Word *Kamerad* hatte Hans Castorp etwas geängstigt.)

"...Und also ist Ihr Katarrh in meinen Augen eine Erscheinung dritter Ordnung", hatte Dr. Krokowski sehr leicht hinzugefügt...

Es war also vier Uhr, wenn der Assistent wieder auf den Balkon zurücktrat, – das heißt tiefer Nachmittag, der sich übrigens ungesäumt ins annähernd Abendliche vertiefte: denn bis der Tee getrunken war, drunten im Saal und auf Nummer 34, ging es stärkstens auf fünf Uhr und, bis Joachim von seinem dritten Dienstgange zurückkehrte und bei seinem Vetter wieder vorsprach. (Der Zauberberg: 267)

Mit Hilfe der Fuzzy-Logik wird eine Betrachtung über die Krankheit (Katarrh) von Hans Castorp und seine Distanz zu Joachim Ziemßen angestellt, abhängig von Krokowski's Stimme. Für die Stimme gelten die folgenden (willkürlich gewählten) Zugehörigkeitsfunktionen nach (158).

(158)

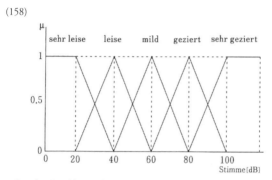

Für die Krankheit gelten die willkürlich gewählten Zugehörigkeitsfunktionen nach (159).

(159)

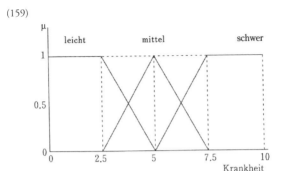

Für die einzustellende ironische Distanz zwischen den Vettern gelten die folgenden (willkürlich gewählten) Zugehörigkeitsfunktionen.

(160)

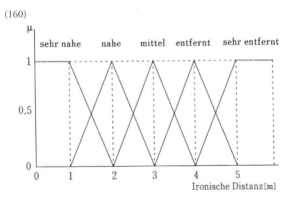

Nachfolgend sei beispielhaft: ein grobes Regelgerüst angeführt. Die Regeln erheben keinen Anspruch auf Vollständigkeit.

WENN Stimme sehr leise ODER Krankheit leicht DANN ironische Distanz sehr entfernt.

WENN Stimme leise UND Krankheit mittel DANN ironische Distanz entfernt.

WENN Stimme leise UND Krankheit schwer DANN ironische Distanz nahe.

WENN Stimme mild UND Kranlcheit mittel DANN ironische Distanz mittel.

WENN Stimme geziert UND Kranldieit leicht DANN ironische Distanz entfernt.

WENN Stimme geziert UND Krankheit mittel DANN ironische Distanz nahe.

WENN Stimme geziert ODER Krankheit schwer DANN ironische Distanz nahe.

Sehr übersichtlich lassen sich die Inferenz-Regeln in einer Übersichtstabelle darstellen. Dabei läßt sich gut überblicken, welche Verknüpfungen vorhanden sind beziehungsweise fehlen. Willkürlich wird für die UND-Verknüpfung der Minimum-Operator, für die ODER-Verknüpfung der Maximum-Operator gewählt, die Inferenz erfolge nach der Max/Min-Methode, die Defuzzifizierung nach der Schwerpunktmethode.

(161) Übersichtstabelle für die Inferenz

Krankheit / Stimme	leicht	mittel	schwer
sehr leise	ODER Ironische Distanz sehr entfernt		
leise		UND Ironische Distanz entfernt	UND Ironische Distanz nahe
mild		UND Ironische Distanz mittel	
geziert	UND Ironische Distanz entfernt	UND Ironische Distanz nahe	ODER Ironische Distanz nahe

Damit sind die Vorarbeiten in Bezug auf die Fuzzy-Logik geleistet. Nachfolgend wird die Wirkungsweise anhand eines konkreten Zahlenbeispiels gezeigt.

Zahlenbeispiel:

Es sei

   Stimme = 76 (dB)*,

   Krankheit = 3.5 (Index)*

Damit ergibt sich:

(162)

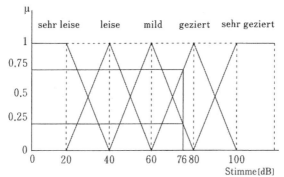

Es ergibt sich μ_{mild} (76 dB) = 0.25

$\mu_{geziert}$ (76 dB) = 0.75

(163)

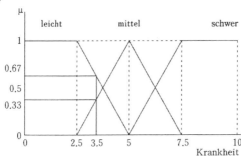

Es ergibt sich μ_{leicht} (Index 3.5) = 0.67

μ_{mittel} (Index 3.5) = 0.33

185

Damit kommen folgende Inferenzregeln zum tragen:

WENN Stimme geziert UND Krankheit mittel DANN ironische Distanz nahe.

WENN Stimme mild UND Krankheit mittel DANN ironische Distanz mittel.

WENN Stimme sehr leise ODER Krankheit leicht DANN ironische Distanz sehr entfernt.

Damit ergibt sich

μ_{nahe}(Ironische Distanz)

$= \min \{\mu_{geziert} (\text{Stimme}); \mu_{mittel} (\text{Krankheit})\}$

$= \min \{\mu_{geziert} (76 \text{ dB}); \mu_{mittel} (\text{Index } 3.5)\}$

$= \min \{0.75; 0.33\}$

$= 0.33$

Analog dazu

μ_{mittel} (Ironische Distanz)

$= \min \{\mu_{mild}(\text{Stimme}); \mu_{mittel} (\text{Krankheit})\}$

$= \min \{\mu_{mild} (76 \text{ dB}); \mu_{mittel} (\text{Index } 3.5)\}$

$= \min \{0.25; 0.33\}$

$= 0.25$

$\mu_{sehr\ entfernt}$ (Ironische Distanz)

$= \max \{\mu_{sehr\ leise} (\text{Stimme}); \mu_{leicht} (\text{Krankheit})\}$

$= \max \{\mu_{sehr\ leise} (76 \text{ dB}); \mu_{leicht} (\text{Index } 3.5)\}$

$= \max \{0; 0.67\}$

$= 0.67$

Wenn es auf die Zugehörigkeitsfunktion der ironischen Distanz übertragen wird, ergibt sich eine Konstellation nach (164).

(164)

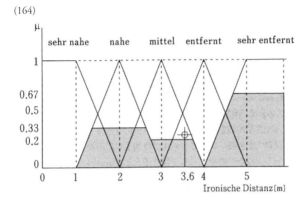

Der Schwerpunkt der Ergebnismenge kann durchaus außerhalb der
Fläche liegen. Der Schwerpunkt wurde hier nur überschlagsmässig angenommen. Man erhält als Schwerpunktkoordinate auf der Rechtsachse
den Wert 3.6 m. Somit ist eine ironische Distanz 3.6 m einzustellen!

　Dr. Krokowskiが、Davosの療養所で行う講演や日常会話の中で用いる音にまつわるイロニーの問題を考えてみよう。Hans Castorp、Dr. KrokowskiそしてJoachim Ziemßenの三者が織り成すイロニーの距離が対象になる。

　Dr. Krokowskiは、療養所の患者たちを前に定期的に講演会を開く。Hans Castorpは、当初Dr. Krokowskiの講演に居合わせたChauchat婦人が気になって、話の内容が掴めなかった。どうやらテーマは、愛の力のようである。純潔と愛の戦いは、まず純潔が勝利する。しかし、愛は死なずに生きており、暗がりの中で自らを満たそうとする。はたしてどのような形で愛は再び現れるのか。愛は病気という形で現れるとDr. Krokowskiは説く。

　こうした結論は、療養所にいる患者たちに対するDr. Krokowski一流の気配りである。しかし、Hans Castorpは、健康を自負しており、次回から講演会に参加する気にはならなかった。それ故に、カタルを患うJoachim Ziemßenとの距離は、比較的遠くなる。

　ここで問題になるのは、Dr. Krokowskiの話し振りである。引きずるような柔らかい感じのrを遠方から聞こえるかのように鳴らすバリトンのため、舌音と唇音の間に薄い母音が入る彼のLiebeは、1.5音節*になる。そして、水気の多いミルクのように何やら青白い気の抜けたイメージになり、Hans Castorpには不快でならなかった。それもあってか、講演後、Hans Castorpは、Joachim ZiemßenにDr. Krokowskiの話しは、余り満足できるものではなかったと述べている。(Der Zauberberg: 177)

　療養所は、午後安静療養の時間になる。Hans CastorpがDr. Krokowskiと対話をする場面がある。バリトンで柔らかい引きずるような何か飾りをつけた異国風の口蓋音rに特徴があるDr.

Krokowskiの話し振りは、Hans CastorpとJoachim Ziemßenのイロニー的な距離にも影響を与える。「我々の関係は、新しい段階に入りました。つまり、あなたは、客人から同胞 (Kamerad) になったのです。私の目にはカタルを患っているように見えます」とDr. Krokowskiは説明する。Hans CastorpとDr. Krokowskiが同志になったことにより、Hans CastorpとJoachim Ziemßenは、同じ病気（カタル）を患う療養所の住民という関係になる。つまり、二人のイロニー的な距離は、近づいていく。(Der Zauberberg: 267)

解説37

　最初に、Hans Castorp、Dr. Krokowski そして Joachim Ziemßen の三者の距離をファジィ化する。Dr. Krokowski の話し振りは、かすかな声、穏やかな声そして飾り気があるに分類される。また、Hans Castorpの病状に関する特徴は、軽い、中ぐらいそして重いである。それぞれメンバーシップ関数の推移が恣意的に選択される。また、Hans Castorp と Joachim Ziemßen のイロニー的な距離に対してもメンバーシップ値を割り当てる（160を参照すること）。

　次に、推論規則が立てられる。例えば、「Dr. Krokowskiの声に飾り気があってHans Castorpの病気が軽ければ、Hans CastorpとJoachim Ziemßenのイロニー的な距離は遠くなる」という規則である。ここで、和結合に対しては、最小値の演算子が、共通結合に対しては、最大値の演算子が使用される。簡易的に一覧表を作ってみよう（161を参照すること）。実際に、具体的な数字を推論規則の前件にあてはめていく。そして、推論規則の後件を求めるために、次のような推論を適応する。

　Dr. Krokowskiの声に飾り気がありHans Castorpの病気が中ぐらいであれば、Hans CastorpとJoachim Ziemßenのイロニー的な距

189

離は、近くなる。

　Dr. Krokowskiの声が穏やかでHans Castorpの病気が中ぐらいで
あれば、Hans Castorp と Joachim Ziemßen のイロニー的な距離は、
中ぐらいになる。

　Dr.Krokowskiの声がとても小さいか、または、Hans Castorpの
病気が軽ければ、Hans Castorp と Joachim Ziemßen のイロニー的
な距離は、かなり遠くなる。

　その結果、イロニー的な距離に関するメンバーシップ関数は、
(164) になる。これにより、Hans Castorp と Joachim Ziemßen のイ
ロニー的な距離は、3.6mと計算される。

【補説1】

文学と計算のモデル

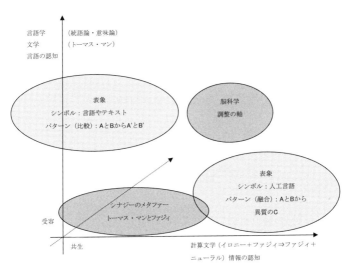

言語学 （統語論・意味論）
文学 （トーマス・マン）
言語の認知

表象
シンボル：言語やテキスト
パターン（比較）：AとBからA'とB'

脳科学
調整の軸

表象
シンボル：人工言語
パターン（融合）：AとBから
異質のC

シナジーのメタファー
トーマス・マンとファジィ

受容

共生

計算文学（イロニー＋ファジィ⇒ファジィ＋
ニューラル）情報の認知

① 縦軸は、小説の購読からなる言語の認知、横軸は、作者の脳の活動を探る情報の認知、そして奥軸は、双方を調節する論理ベースの脳科学である。

② 縦は解析のイメージであり、横は生成のイメージである。表象とは、知覚したイメージを記憶して心で再現する人間の精神活動のことである。例えば、意識、記憶、感情、思考、判断といった精神活動は、脳が生み出している。また、シンボルは知覚するものであり、パターンはその処理に当たる。

③　縦横のテーマには、Thomas Mann、魯迅、森鴎外、Nadine Gordimerそして川端康成さらには英独中日といった東西の言語や文化の比較、リスク回避と意思決定による作家の脳の活動や知的財産などがある。

　このモデルの役割は、A（人文）＋B（認知）の解析イメージ（イロニー＋ファジィ）とB（認知）＋C（脳科学）の生成イメージ（ファジィ＋ニューラル）をまとめることにある。情報の流れは、AとBから異質のCに到達後、解析のイメージにリターンする。

【補説2】

「シナジーのメタファー」のプロセス

① 知的財産が自分と近い作家を選択する。

② 場面のイメージのデータベースを作成する。場面が浮かぶように話をまとめる。

③ 解析のイメージから何れかの組を作る。言語の解析は、構文と意味が対象になる。

④ 認知科学のモデルは、Lのプロセス全体に適用される。例えば、前半は言語の分析、後半は情報の分析。

⑤ 場面ごとに問題の解決と未解決を確認する。

⑥ 問題解決の場面では、Lに縦横滑ってCに到達後、解析のイメージに戻る。問題未解決の場面では、すぐに解析のイメージに戻る。

⑦ 各分野の専門家が思い描くリスク回避を参考にしながら、作家の執筆脳を考える。

⑧ 問題解決の場面を中心にしてテキストの共生を整える。

①、②、③は、受容の読みのプロセス、④は、認知科学の前半と後半、⑤、⑥は、異質のＣとのイメージ合わせになり、⑦で作家の脳の活動を探り、⑧でシナジーのメタファーに到達する。データベースの作成については、これらが全て収まるようにカラムを工夫すること。

①　一文一文解析しながら、選択した作家の知的財産を探っていく。例えば、受容の段階で文体などの一般的な読みを想定し、共生の段階で知的財産にまつわる異質のＣを探る。この作業は、②と③でも行われる。

②　場面のイメージが浮かぶようなデータベースを作成する。

③　テキストの解析を何れかの組にする。例えば、トーマス・マンならば「イロニーとファジィ」、魯迅ならば「馬虎と記憶」という組にする。組が見つからなければ、①から③のプロセスを繰り返す。

④　認知プロセスの前半と後半を確認する。

⑤　場面の情報の流れを考える。問題解決と未解決で場面を分ける。

⑥　問題解決の場面は、異質のＣに到達後、解析のイメージにリターンする。問題未解決の場面は、すぐに解析のイメージにリターンする。こう考えると、システムがスムーズになる。

⑦　各分野のエキスパートが思い描くリスク回避と意志決定がテーマである。緊急着陸、救急医療、株式市場、環境問題などから生成のイメージにつながるようにリスク回避のポイントを作る。そこから、作家の意思決定を考える。

⑧　これにより作家の脳の活動の一例といえるシナジーのメタファーが作られる。「Thomas Mannとファジィ」とか「魯迅とカオス」というシナジーのメタファーは、テキストの共生に基づいた組のアンサンブルであり、文学をマクロに考えるための方法である。

【補説3】
Thomas Mannの『魔の山』から見えてくるバラツキについて

1　簡単な統計処理

1.1　データのバラツキ

　グループa(5、5、5、5、5)とグループb(3、4、5、6、7)とグループc(1、3、5、7、9)は、算術平均がいずれも5であり、また中央値（メジアン）も同様に5である。算術平均やメジアンを代表値としている限り、この3つのグループは、差がないことになる。しかし、バラツキを考えると明らかに違いがある。グループaは、全てが5のため全くバラツキがない。グループbは、5が中心にあり3から7までバラついている。グループcは、1から9までの広範囲に渡ってバラツキが見られる。グループbのバラツキは、グループcのバラツキよりも小さい。

　次に、グループd(1、1、4、7、7)とグループe(1、4、4、4、

7）だと、どちらのバラツキが大きいことになるのであろうか。グループdは、中心の4から3も離れた所に4つの値がある。グループeは、中心に3つの値があって、そこから3離れたところに値が2つある。

　バラツキの大きさを定義する方法で最も有名なのが、レンジと標準偏差である。レンジは、グループの最大値から最小値を引くことにより求めることができる。グループdは、7-1=6で、グループeも7-1=6となる。レンジだけでバラツキを定義すれば、グループdとグループeは同じことになるが、グループ内の最大値と最小値だけを問題にするため、他の値が疎かになっている。そこでもう一つのバラツキに関する定義、標準偏差について見てみよう。

1.2　標準偏差

　標準偏差は、グループの全ての値によってバラツキを決めていく。グループの個々の値から算術平均がどれだけ離れているのかによって、バラツキの大きさが決まる。

　グループd(1、1、4、7、7)の算術平均は4である。それぞれの値から算術平均を引くと、1-4=-3、1-4=-3、4-4=0、7-4=3、7-4=3となる。この算術平均から離れている大きさを平均してやると、バラツキの目安が求められる。しかし、-3、-3、0、3、3を全部足すと0になるため、さらに工夫が必要になる。

　例えば、絶対値をとる方法とか値を2乗してマイナスの記号を取る方法がある。2乗した場合、9、9、0、9、9となり、平均値を求めると、5で割って7.2となる。但し、元の単位がcmのときに、2乗すれば㎠となるため、7.2を開いて元に戻すと、$\sqrt{7.2\,㎠}$ ≒2.68 cmというバラツキの大きさになる。

(1) 標準偏差の公式

$$\sigma = \sqrt{\sum (X_i - \overline{X})^2 / n}$$

　次にグループe(1、4、4、4、7)について見てみよう。算術平均は4である。それぞれの値から算術平均を引くと、1-4=-3、4-4=0、4-4=0、4-4=0、7-4=3となる。この算術平均から離れている大きさを平均すると、バラツキの目安が求められる。しかし、-3、0、0、0、3を全部足すと0になるため、それぞれを2乗して、9、0、0、0、9として平均値を求め、5で割って3.6を求める。

　但し、元の単位がcmのときに2乗すれば、cm²となるため、3.6を開いて元に戻すと、$\sqrt{3.6\text{cm}^2} \fallingdotseq 1.89$ cmというバラツキの大きさになる。従って、グループdの方がグループeよりもバラツキが大きいことになる。

　以下では、標準偏差(1)の公式を使用して、トーマス・マンの『魔の山』のデータに関するバラツキから見えてくる特徴を考える。

2　場面のイメージを分析する

2.1　データの抽出

　作成したデータベースから特性が2つあるカラムを抽出し、標準偏差によるバラツキを調べてみる。例えば、A 五感（1視覚と2それ以外）、B ジェスチャー（1直示と2隠喩）、C 情報の認知プロセス（1旧情報と2新情報）、D 情報の認知プロセス（1問題解決と2未解決）というように文系と理系のカラムをそれぞれ2つずつ抽出する。

表1

Dr. Krokowski の講演を聞く	A	B	C	D
Hans Castorps Gedanken verwirrten sich, während er auf Frau Chauchats schlaffen Rücken blickte, sie hörten auf, Gedanken zu sein, und wurden zur Träumerei, in welche Dr. Krokowski's schleppender Bariton, sein weich anschlagendes r wie aus weiter Ferne hereintönte.	1	2	2	2
Aber die Stille im Saal, die tiefe Aufmerksamkeit, die ringsumher alle im Bann hielt, wirkte auf ihn, sie weckte ihn förmlich aus seinem Dämmern. Er blickte um sich... Neben ihm saß der dünnhaarige Pianist, den Kopf im Nacken, und lauschte mit offenem Munde und gekreuzten Armen.	1	1	2	2
Die Lehrerin, Fräulein Engelhart, weiter drübern, hatte gierige Augen und rotflaumige Flecke auf beiden Wangen, - eine Hitze, die sich auf den Gesichtern anderer Damen wieder fand, die Hans Castorp ins Auge faßte, auch auf dem der Frau Salomon dort, neben Herrn Albin, und der Bierbrauersgattin Frau Magnus, derselben, die Eiweiß verlor.	1	1	2	1
Auf Frau Stöhrs Gesicht, etwas weiter zurück, malte sich eine so ungebildete Schwärmerei, daß es ein Jammer war, während die elfenbeinfarbene Levi mit halbgeschlossenen Augen und die flachen Hände im Schoß an der Stuhllehne ruhend, vollständig einer Toten geglichen hätte, wenn nicht ihre Brust sich so stark und taktmäßig gehoben und gesenkt hätte, wodurch sie Hans Castorp vielmehr an eine weiblich Wachsfigur erinnerte, die er einst im Panoptikum gesehen und die ein mechanisches Triebwerk im Busen gehabt hatte.	1	2	1	1
Mehrere Gäste hielten die hohle Hand an die Ohrmuschel oder deuteten dies wenigstens an, indem sie die Hand bis halbwegs zum Ohre erhoben hielten, als seien sie mitten in der Bewegung vor Aufmerksamkeit erstarrt.	1	1	2	2

表2

純潔の力と愛の力の格闘	A	B	C	D
Dieser Widerstreit zwischen den Mächten der Keuschheit und der Liebe - denn um einen solchen handle es sich -, wie gehe er aus? Er endige scheinbar mit dem Siege der Keuschheit.	2	2	2	1
Furcht, Wohlanstand, züchtiger Abscheu, zitterndes Reinheitsbedürfnis, sie unterdrückten die Liebe, hielten sie in Dunkelheiten gefesselt, ließen ihre wirren Forderungen höchstens teilweise, aber bei weitem nicht nach ihrer ganzen Vielfalt und Kraft ins Bewußtsein und zur Betätigung zu.	2	2	2	1
Allein dieser Sieg der Keuschheit sei nur ein Schein- und Pyrrhussieg, denn der Liebesbefehl lasse sich nicht knebeln, nicht vergewaltigen, die unterdrückte Lieben sei nicht tot, sie lebte, sie trachte im Dunkeln und Tiefgeheimen auch ferner sich zu erfüllen, sie durchbreche den Keuschheitsbann und erscheine wieder, wenn auch in verwandelter, unbekenntlicher Gestalt...	2	2	2	2
Und welches sei denn nun die Gestalt und Maske, worin die nicht zugelassene und unterdrückte Liebe wiedererscheine? So fragte Dr. Krokowski und blickte die Reihen entlang, als erwarte er die Antwort ernstlich von seinem Zuhörern.	2	1	2	2
Ja, das mußte er nun auch noch selber sagen, nachdem er schon so manches gesagt hatte. Niemand außer ihm wußte es, aber er würde bestimmt auch dies noch wissen, das sah man ihm an.	2	1	2	2

表3

同志になる	A	B	C	D
"Sie scheinen überrascht, mich zu sehen, Herr Castorp", hatte er mit baritonaler Milde, schleppend, unbedingt etwa geziert und mit einem exotischen Gaumen-r gesprochen, das er jedoch nicht rollte, sondern durch ein nur einmaliges Anschlagen der Zunge gleich hinter den oberen Vorderzähnen erzeugte;	2	1	2	1
"ich erfülle aber lediglich eine angenehme Pflicht, wenn ich bei Ihnen nun auch nach dem Rechten sehe. Ihr Verhältnis zu uns ist in eine neue Phase getreten, über Nacht ist aus dem Gaste ein Kamerad geworden..." (Das Wort "Kamerad" hatte Hans Castorp etwas geängstigt.)	2	2	2	1
"Wer hätte es gedacht!" hatte Dr. Krokowski kameradschaftlich gescherzt... "Wer häte es gedacht an dem Abend, als ich Sie zuerst begrüßen durfte und Sie meiner irrigen Auffassung - damals war sie irrig - mit der Erklärung begegneten, Sie seien vollkommen gesund.	1	1	1	2
Ich glaube, ich drückte damals etwas wie einen Zweifel aus, aber, ich versichere Sie, ich meinte es nicht so! Ich will mich nicht scharfsichtiger hinstellen, als ich bin, ich dachte damals an keine feuchte Stelle, ich meinte es anders, allgemeiner, philosophischer, ich verlautbarte meinen Zweifel daran, daß 'Mensch' und 'vollkommene Gesundheit' überhaupt Reimworte seien.	2	2	2	2
Und auch heute noch, auch nach dem Verlauf Ihrer Untersuchung, kann ich, wie ich nun einmal bin, und im Unterschied von meinem verehrten Chef, diese feuchte Stelle da"- und er hatte mit der Fingerspitze leicht Hans Castorps Schulter berührt - " nicht als im Vordergrunde des Interesses stehend erachten. Sie ist für mich eine sekundäre Erscheinung...Das Organische ist immer sekundär..."	1	1	2	1

2.2　標準偏差による分析

　グループA、グループB、グループC、グループDそれぞれの標準偏差を計算する。その際、場面1、場面2、場面3の特性1と特性2のそれぞれの値は、質量ではなく指標のため、特性の個数を数えて算術平均を出し、それぞれの値から算術平均を引き、その2乗の和集合の平均を求め、これを平方に開いていく。（公式2）
　求められた各グループの標準偏差の数字は、何を表しているのであろうか。数字の意味が説明できれば、分析は、一応成果が得られたことになる。

◆グループA 五感（1視覚と2その他）
　場面1（特性1、5個と特性2、0個）の標準偏差は、公式2により0となる。
　場面2（特性1、0個と特性2、5個）の標準偏差は、公式2により0となる。
　場面3（特性1、2個と特性2、3個）の標準偏差は、公式2により0.49となる。
【数字からわかること】
　場面1、場面2、場面3を通して、視覚情報に偏りがあるため、『魔の山』は、五感の情報にバラツキがある作品といえる。

◆グループB ジェスチャー（1直示と2隠喩）
　場面1（特性1、3個と特性2、2個）の標準偏差は、公式2により0.49となる。
　場面2（特性1、2個と特性2、3個）の標準偏差は、公式2により0.49となる。
　場面3（特性1、3個と特性2、2個）の標準偏差は、公式2によ

り0.49となる。

【数字からわかること】
　場面1、場面2、場面3を通して、比喩に富んだ作品といえる。

◆グループＣ 情報の認知プロセス（1旧情報と2新情報）
　場面1（特性1、1個と特性2、4個）の標準偏差は、公式2により0.4となる。
　場面2（特性1、0個と特性2、5個）の標準偏差は、公式2により0となる。
　場面3（特性1、1個と特性2、4個）の標準偏差は、公式2により0.4となる。

【数字からわかること】
　場面1、場面2、場面3を通して、新情報の2が多いため、講演の場面は、ストーリーがテンポよく展開していることがわかる。

◆グループＤ 情報の認知プロセス（1問題解決と2未解決）
　場面1（特性1、2個と特性2、3個）の標準偏差は、公式2により0.49となる。
　場面2（特性1、2個と特性2、3個）の標準偏差は、公式2により0.49となる。
　場面3（特性1、3個と特性2、2個）の標準偏差は、公式2により0.49となる。

【数字からわかること】
　『魔の山』は、場面1、場面2、場面3を通して問題未解決が多いため、時間をかけて調節する時間の小説であることがわかる。

3　まとめ

　リレーショナルデータベースの数字及びそこから求めた標準偏差により、Thomas Mann の『魔の山』に関して部分的ではあるが、既存の分析例が説明できている。従って、補説3の分析方法、即ちデータベースを作成する文学研究は、データ間のリンクなど人の目には見えないものを提供してくれるため、これまでよりも客観性を上げることに成功している。

【補説4】
人文科学からマクロのシステムを考える

　広義のシナジーのメタファーは、個々のデータベースを束ねたシステムの構築とその評価について検討が必要である。例えば、危機管理者としての作家の執筆脳を社会学の観点から集団の脳の活動と見なし、人文科学の研究対象である個人の脳の活動と組にする。ここでは、こうしたシステム全体を安定させるための方法や各部門との連携が考察の対象になる。

マクロの文学のイメージ

　イメージ図を見てみよう。人文と社会の間には文化があり、人文と医学の間にはカウンセリングがある。そして、人文と情報の組で見ると、例えば、コーパス、パーザー、機械翻訳、計量言語学（いずれも購読脳）さらには小説のLのデータベース（執筆脳）があり、一方で社会や医学と情報のシステムが組をなして全体的にバランスを取っている。図の中央にある縦横のシナジーの目は、脳科学の役割を果たし、司令塔としてそれぞれの系に指示を出すイメージである。

　例えば、私の場合、言語系の教授法や翻訳が実務として中央にあり、その周りに研究のポイントとして教育、心理、社会、文化、歴史、法律、医学、技術、文学、コンピュータなどがそれぞれ言語と組をなして外周を作る。

　無論、イメージ図の中には、地球規模として東西南北からオリンピックにまで広がる国地域があり、また、Tの逆さの認知科学の定規と縦横に言語と情報の認知を取るLの定規、さらにはロジックを交えた3Dの箱が含まれている。こうした地球規模

とフォーマットのシフトを条件とする、総合的で学際的なマクロの文学研究が人生をまとめるための道標として人文科学の研究者たちにも共通認識になるとよい。

　マクロの文学分析のシステムを広義のシナジーのメタファーと考える。メゾのエリアに分析データが溜まってきたら、次にクラウドからメゾのデータをまとめるための指令を出し、それをまとめることでマクロのシステムとしたい。

広義のシナジーのメタファー

【クラウド】
データを束ねるために○○社会学から指令を出す。
例、危機管理、社会観察、医療社会など。

⇕

【メゾ】
それぞれの作家の小説に関し、計算文学や病跡学の分析から3Dのデータが溜まり、統計分析による数字が箱の中に入っていく。

⇕

【ミクロ】
人文、社会、理工、医学の各分野で翻訳の実績を作る。その際、翻訳の作業単位として、外国語＋各系の専門知識という作業単位を作る。

・シナジーのメタファーのメリット、
・3Dのデータに関する統計分析の比較、
・自然や文化を含む社会観察の意義、
・医療社会のデータ分析など。

　病跡学の研究については、滑り出したところである。その目的、効果、目標、メリットを見ていくと、他系とのクロスした実績を作る際、人文と医学の組み合わせが最も遠い。例えば、人文から見ると、健康科学の勉強はしても別段自分の研究とまとめる必要はない。しかし、遠いところの調節ができれば、調整力がついてきた証拠になる。また、もし研究実績を作り、メインの専門の実績と絡むようになれば、自分の研究が正しいと

いう証拠になる。

　さらに、研究対象の作家の数を増やして、人文、社会、理工、医学の系をブラックボックスからグレーにし、地球規模とフォーマットのシフトからなる実績ができれば、文理共生による評価も次第に上がってくる。

　シナジーのメタファーは、狭義と広義の双方を含むマクロのシステムである。図が示すように、広義のシナジーのメタファーは、ミクロ、メゾ、クラウド、マクロからなる。ミクロでは機械翻訳や特許翻訳が実績となり、メゾにはボトムアップで購読脳と執筆脳からなる3Dの箱が溜まる。そして、クラウドからトップダウンで仮説や推測によりメゾのデータを束ねる指令が出て、マクロの結論が導かれる。クラウドからの指令は、集団の脳の活動をまとめる際に効果がある。

　但し、システムが大きくなればなるほど、自ずとミスマッチが生まれ、その調節がスムーズにできるかどうかが鍵になる。システムのどこかにミスマッチの調節があればよいというのであれば、Montague Grammar と文学は、その一例になる。

注釈

14頁

＊例えば、電気冷蔵庫に内蔵されたマイクロコンピュータは、消費電力を調節するためにファジィ推論を使用している。

21頁

＊Head-Driven Phrase Structure Grammarの略。Carl Pollardと Ivan Sagにより、1980年代後半から1990年代前半にかけて開発された文法理論で、Gerald Gazdarらが1970年代後半から1980年代前半にかけて開発したGPSGの流れを継承している。GPSGは、ChomskyのGB (Government and Binding) 理論とRichard MontagueのPTQをそれぞれ統語論と意味論に採用した言語理論で世界中から注目を集めた。

　HPSGは、可能世界を設定するPTQの代わりにその中身を詳細に追及していく状況意味論を採用し、意味論の説明力を向上させた。GPSGとの主な違いについては、呼応の処理が一例になる。GPSGは、VPとNPの呼応の問題について、主要部の素性、例えば、範疇化素性AGR（呼応）や原子化素性PER（人称の区別）およびPLUR（単複の区別）を用いて処理していた。

　一方、HPSGは、主要部素性ではなく、NPが主要部の呼応を共有しているという立場を取る。Kapitel 2「量化の内容」に記述されている意味の原理(4)が、意味内容をNPに共有させるように要求するためである。

22頁

＊LOCALとNONLOCALは、対の用語である。LOCAL情報は、

複雑な情報を単一構造の属性（CATEGORY、CONTENTおよびCONTEXT）に変更する役割があり、NONLOCAL情報は、無限の依存関係（UDC）を処理するために使用される。但し、無限の依存関係は、強いUDCと弱いUDCに分類することができる。

　前者に属する英語の表現には、主題化（Topicalization: Hans₁, Clawdia loves ₋₁）があり、後者に属する表現には、Tough movement（痕跡に対応するfiller）がある。Tough movementは、はっきりとしない文、例えば、Hans₁ is hard to love ₋₁に対して、例文に形容詞のtoughを用いたことからこうした用語になった。（安井1982）周知のように、これらの表現には痕跡（上述の"₋₁"）が存在し、それを処理するためにSLASH素性が使用される（Pollard and Sag（1994）および解説13を参照すること）。

＊Devlin (1991) 以降は、Infons(information items)が使用されている。Devlin(1991)は、世界で直接基礎づけられる基本情報とエージェントにより処理される高階情報とを区別し、こうした情報を表記するために、基本情報にはinfonsを、高階情報にはtypesを使用している。但し、infonsレベルでも論理を開発するために、諸々の前提(R)を設定しながら、infonsレベルを基本的なものと合成的なものに区別している。

　状況意味論における情報の概念は、存在論に依存しており、個人、関係(P)、空間、時間、状況、タイプおよびパラメータといったオブジェクトを含んでいる。例えば、Pがn項関係で、x_1 ... x_n がPの項の役割に適したオブジェクトである場合、infon（σ）は、次のように記述される。<<P, x_1 ... x_n, 1>> または <<P, x_1, ... x_n, 0>>

　一方、状況意味論でいうtypeは、基本タイプ（時間、空間、個人、n項関係、状況、infon、極性(1, 0) など）の集まりに簡単な処理を適用して規定される。所定のタイプのオブジェクトに

言及する場合は、パラメータも必要になる。例えば、x:T。これは、オブジェクト x が Typ T を持っているという意味である。（Devlin 1991）

23頁
＊状況意味論の目標は、真理条件を非標準とする情報ベースの論理の開発である。そのため数学の領域外の解釈が重要になる。誰が、何を、いつ、どのような目的で話したのか、また、誰が聞き手なのか。つまり、発話により伝達される情報を規定する際、話し手と聞き手が共有する特徴はすべて、何らかの役割を果たすことになる。

　特に、高階情報の場合は、意識して制御ができれば、推論と論理的に類推可能な心の操作までも重要になる。しかし、自己を制御する場合、論理的な推論が必要不可欠になることを理由に、ここでは Thomas Mann の『魔の山』に登場する人物、特に、主人公 Hans Castorp にからむイロニーを考察していく。

26頁
＊音素は、具体的な音声のレベルと形態素のレベル間に位置している。形態素は、意味を持つ最小の単位で、例えば、boys は、boy という形態素と s という形態素からできている。例えば、r と l は、日本語では音声的な違いでしかないが、英語では音素的な違いになる。（安井 1982）

29頁
＊周知のように、ファジィ理論は、ぼやけた境界を持つファジィ集合が扱う曖昧さと多くの可能性があるため特定することができないファジィ速度による曖昧さを扱う。前者はベイグネス、

後者はアンビグイティと呼ばれている。ファジィ速度については、Thomas Mann の『ヨーゼフとその兄弟』の『ヤコブ物語』を題材にした考察がある。詳細については、参考文献を参照すること。

31頁

＊head-adj-struc とは、COMP-DTRS (COMPLEMENT DAUGHTERS) の値を＜＞として指定する "head-struc"(head structure) の下位範疇であり、付加的な属性ADJ-DTR (ADJUNCT DAUGHTER) を持っている。(Pollard and Sag 1994)

　例えば、付加語の娘blueと、主要部の娘skirtからなるblue skirtのSYNSEMは、以下の通りである。

$$
\text{CAT} \left\{ \begin{array}{l} \text{HEAD noun} \\ \text{SUBCAT <DetP>} \end{array} \right\}
$$

$$
\text{CONT} \left\{ \begin{array}{l} \text{INDEX[1]} \\ \text{RESTR} \left\{ \begin{bmatrix} \text{RELN skirt} \\ \text{INST [1]} \end{bmatrix}, \begin{bmatrix} \text{RELN blue} \\ \text{ARG [1]} \end{bmatrix} \right\} \end{array} \right\}
$$

33頁

＊"Ich erkläre einen Roman"（長編小説を説明する）のAVMを完成させるためには、図7に範疇または数、格、人称の一致といった情報を加える必要がある。詳細については、解説4を参照すること。

　また、図6にあるタグと呼ばれるボックス数字（例えば [1] ）は、樹形図における構造上の共有を示している。但し、下付きタグは、図7にもあるように意味の役割を担っている。詳細については、解説10を参照すること。また、ここで{}は、空の集合を、〈 〉(図12参照)は、空のリストを表している。(Pollard and Sag 1994)

45頁

＊伝統的に英語のto不定詞句には、Raising（主語上昇）とEqui（等価）という二種類の動詞群が存在する。Raisingとは、[[for Hans to be happy] seems] のような深層構造から [Hans [seems to be happy]] のような表層構造を生成するために、挿入句の主語の位置に挿入された主語を上昇させる動詞を指している。

　また、Equiとは、[Joachim wants [Joachim to go]] のような深層構造から [[Joachim wants [to go]] のような表層構造を生成するために、挿入句の主語が削除される動詞のことである。HPSGもこうした伝統に沿ってto不定詞句を分析していくが、補助的な要素であるtoについては、実際のところRaisingであると見なし、(26)のようなCONTENT値を規定している。（Pollard and Sag 1994）

49頁

＊例えば、GPSGは、イディオムの一部に部分的な解釈を割り当てる例として(36)のような形容詞による修飾だけではなく、以下のような量化による修飾の例も記述している。

Pull a string or two.（操る）

Take as much advantage of the situation as you can.（状況を利用する）

　advantageのようなイディオムの要素と数量詞を併記すると、イディオムの連鎖にある解釈が割り当てられる。つまり、こうした名詞は、量化による意味の拡張が可能ということになる。（Gazdar et al 1985）

＊論理文法の歴史を考えると、構成性は、次第に立場が弱くなっていく。これは、対象となる言語表現が、単文から複合文を経てテキストへと拡がることにより、統語形式と実際の意味の間に中間レベルを設定することがより適切な意味の計算を可能

にすると、多くの意味論者が主張するようになったためである。例えば、88頁の注釈、解説9および解説19を参照すること。

57頁
＊コロケーションは、語彙項目のシンタグマ関係、または、連鎖関係を説明するものであり、個々の項目がテキストの中で交わる語彙項目の仲間のことをいう。例えば、deskは、hothouse や rain よりも write や big といった項目の方がはるかに生じやすいといえる。（安井 1982）

61頁
＊ Subject Extraction Lexical Rule（主語抽出語彙規則、以下の（c））により、主語でないS補部（(a)のwho）を下位範疇化する英語の動詞（(a)のclaim）は、VP補部のために下位範疇化する新しい語彙登録（(b)のVPINHER/SLASH {[1]｜} ）を生むことが説明される。（Pollard and Sag 1994）
(a) Who₁ did Hans claim _₁ left?

(b)

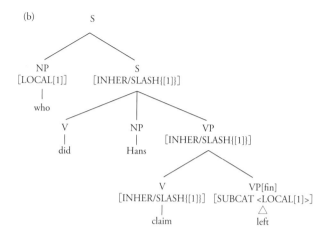

(c)

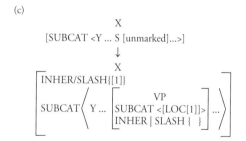

　　ここで、Yは、synsem 上に並んだ変項である。それ故、(c) の
Yは、S[unmarked] が主語でないことを保証してくれる。(Pollard
and Sag 1994)

＊SLASH素性は、痕跡を処理するために採用されており、主題化やTough movement表現を処理することもある。詳細については、解説13を参照すること。また、SLASH素性がコード化するfiller-gapの依存関係を含む言語現象として関係詞句も知られている。例えば、関係詞が指標を共有する主要部の名詞とその関係詞との依存関係である。REL属性については、解説14を参照すること。

＊Karttunen（1973）は、投射（projection）の問題を取り上げている。投射とは、複合文に含まれた条件に基づいて、複合文の前提を規定していくことをいう。投射の問題を解決するために、非公式にpluges、holes、filtersと呼ばれる異なる3タイプの述語間で前提の違いが区分されている。

a) pluges: 補文のすべての前提をブロックする述語。例えば、say、mention、tell、ask、など。

b) holes : 補文のすべての前提に主文のすべての前提を獲得させる述語。例えば、know、regret、understandなど。

c) filters: ある条件に基づいて、補文のいくつかの前提を打ち消す述語。例えば、if…then、and、およびeither…or。

＊付加語easyのSYNSEMは、次のような語彙登録になる。

[LOCAL/CAT[HEAD adjective SUBCAT<NP[1],(PP[for]) VP[inf, INHER/SLASH{[2]NP[acc]:ppro[1]...}]>]NONLOCAL/TO-BIND/SLASH{[2]}]

　ここで、NP[acc]:ppro[1] は、目的格のNPであり、その意味内容は、ppro(personal pronoun)、その指標は、[1]になる。Pollard and Sag (1994) の一般的な要求は、easyのような形容詞の主語に

意味上の役割(role)を与えるべきだというものである。例えば、表記されないVP補部の主語をeasyの主語と特定することにより、誤った解釈が生じてしまうからである。

(a) There is easy to believe to be a unicorn in the garden.

　この表現は、虚辞のthereが非指示的な指標を担うため、非文として扱われる。（Pollard and Sag 1994）

74頁

＊例えば、Montague は、英語の指示語 (I, now, tomorrow, this および that) について可能世界 (i) だけではなく、使用上の文脈 (j) にも依存する解釈モデルを立てた。解釈βにより句ζに与えられる使用上の文脈と関連する内包は、$Int_{\beta,j}(\zeta)$になり、一方、指標<i, j> と関連する外延は、$Ext_{\beta,<i, j>}(\zeta)$ になる。〔Montague 1974、井口ほか1987〕

78頁

＊他動詞の指示的な解釈（47）は、de re読みといわれ、Hans Castorpの試みがある特定の婦人に向けられているという解釈になる。一方、非指示的な解釈（48）は、de dicto読みとして何れかの婦人が対象になる。（Löbner 1976）（47）と（48）のFnは、統語操作であり、入力表現のカテゴリーと出力表現のカテゴリー間を処理していく。また、統語操作の番号には指標がつくこともある。他動詞の統語規則は、これらがまとまったものである。〔白井1985、井口ほか1987〕

79頁

＊Prologは、宣言型の言語で、何が計算されるのかが問題になる自然言語処理システムである（解説17を参照すること）。

80頁

＊Horn節については、解説18を参照すること。

82頁

＊β還元については、解説18を参照すること。

88頁

＊例えば、

a) Hans dropped ten marbles and found all of them, except for one. It is probably under the sofa.

b) Hans dropped ten marbles and found only nine of them. It is probably under the sofa.

　この場合、状況も真理条件も等しくなるが、代名詞の照応に違いが生じる。a)は、代名詞が「落としてなくしてしまったビー玉」を指し、b)は、「落として見つからないビー玉」になる。つまり、統語論の形式と実際の意味の間に中間的な意味表現を採用する方が意味内容よりも論理形式に実際の違いがある点を説明できるという。この立場を取る意味論者は、非構成性を主張する。（Groenendijk and Stokhof 1991）

90頁

＊Prologと共に有名なPascalは、手続き型言語として知られ、どのように計算するのかを問題にする自然言語処理システムである。（Pereira and Shieber 1987）

95頁

＊多形のタイプ理論は、タイプ情報を隠すことによって単形(monomorphic)から派生する。単形のタイプ理論は、高いレベル

のタイプ割り当てにより定義されたより低いレベルのタイプ理論に基づいて、タイプが一意に決まっていく。(Ranta 1991)

＊ Montague の PTQ は、(i) 基本表現を分析樹に結合させ、(ii) 分析樹を単純な文にシュガーリングするといった二重構造をなしている。そして、英語の個々の表現は、分析樹を介して一意に内包論理へ翻訳され、個々の複合表現の翻訳は、その部分の翻訳が複合文に結合していく形で決まっていく（Montague (1974) および (59) を参照すること）。

＊ Matin-Löf (1982) については、解説20を参照すること。

96頁
＊通常、英語の普通名詞は、集合表現として扱われ、文は、命題表現と見なされる。しかし、Ranta (1991) は、シュガーリングの際に普通名詞を文へスイッチする方法が必要だと主張している。つまり、普通名詞を命題表現と見なし、文を集合表現とする手続きが採用されている。例えば、不定冠詞と名詞からなる名詞句に、接頭辞として there is を置く場合が考えられる。集合の意味合いを命題と同一視できるという立場から、何れの a: A に対しても、A: set と A: prop という2種類の判断が想定される。(Ranta 1991)

97頁
＊ Ranta (1991) は、自然言語を処理するために、より豊かなタイプ理論(77)を導入した。つまり、関数のタイプ(α, β)のみならず、一般化された関数のタイプ(x: α) β も含めることにした。ここでβは、x: aに依存したタイプになる。(77) は、4つの判断を

含み、そのうち3つは前提が存在する。これらは、前提が満たされた場合に限って有意味になる。(Ranta 1991)

103頁
＊補助規則は、単数の表現に適応される。例えば、再帰代名詞(REFL) に設定されて、主要な変数 (main argument: M) として目印がつき、照応表現の領域 (spectrum of alternative anaphoric expressions: SPECTRUM) によって調節される。(Ranta 1991)

104頁
＊補助規則のCは、原子記号で、xは、変項である。規則 (M) は、Cとxに対応する主要な変数である。p • は、x、p (x)、p (p (x)) などの一つ、d (c) は、c、Vetter (c)、Mutter (Vetter (c)) などになる。また、照応表現の領域として、103頁の注に示されているSPECTRUMがある。

＊これらは、＿と＿の連結concatenationを表している。

＊規則 (C)(cojunction および conditional)は、AとBが結合した(Σx: A) Bをシュガーリングの対象とし、(Πx: A) Bは、Aが条件、Bが結果となる条件文として処理される。(Ranta: 1991)
i) (Σx:Mann) schlafen (x) > Ein Mann ist da und er schläft.
2) (Πx: schlafen (Joachim)) träumen (Joachim)> Wenn Joachim schläft, träumt er.
規則 (Q)(quantifier phrase) と規則 (R)(relative clause) については、解説21を参照すること。

115頁

＊英語の fuzzy のドイツ語訳は、unscharf が最適であるが、flauschig
も使用できるという。(Traeger 1993)

117頁

＊Baumgart (1964) は、他の境界として人間の存在に関わるもの
も引き合いに出し、耐え難い天命を認識しながら救済に突き進
み、問題を解決していく古典小説に見られるハムレット型の問
題も取り上げている。なお、ハムレット型の対語は、ドンキホ
ーテ型である。

118頁

＊古典論理にも多値のシステムは存在した。例えば、Łukasievicz
(1967) は、命題論理の三値システムと併記する形で、以下のよ
うな多値論理を定義した。
pとqが、0と1の中間の値を示するならば、
C(Consequence)pq = 1 für p = q,
Cpq = 1 − p + q für p > q,
N(Negation)p = 1 − p.
　Cpq は、含意の記号化である。つまりpならばq、pおよびq
は、命題になる。0と1だけが中間域(0,1)から選択されると、上
記定義は、二値の命題計算のマトリクスを表す。1/2が含まれる
と、三値論理のマトリクスが得られる。以下同様に、四値、五
値、n値システムも作成することができる。

119頁

＊ファジィコントロールは、人間の感情による決定には適応さ
れず、あくまで日常経験や論理思考を数式によって理解するた

めに開発された。それ故にここでは、感情による決定を人間自身には理解できないものと見なしている。（Traeger 1993）

120頁
＊表形式のデータからどのような知識が抽出できるのかを問うラフ集合は、Thomas Mann のイロニーが物事を肯定的にも否定的にも考察することから、大変興味深い分析方法である。ラフ集合の近似処理は、対象となる概念に関し肯定と否定の両方の知識を抽出してくれる。こうした考え方を基にするテキストマイニングについては、Thomas Mann のイロニーが読み取れるような文章を抽出しながら話を進めると、計算文学において価値のある基礎研究になる。「ラフ集合から Thomas Mann の『魔の山』を考える－テキストマイニングのためのトレーニング」というレポートを作成済み。

123頁
＊メンバーシップ値において、蓋然性は、問題にはならない。蓋然性は、ある種の出来事がどれぐらい的中するのかを表す概念である。つまり、実際の状態については何も語らないため、全く起こりそうもない出来事も入ってくる。一方、メンバーシップ値は、考察された要素の実際の特徴を表示する。
a) 蓋然性 $P_A(x) = 0.7$
　これは、要素 x と集合 A（背が高い）を10回考察した場合、この要素が7回は完全に集合 A に属するが、3回は全く属さないといっている。
b) メンバーシップ $\mu_A(x) = 0.7$
　これは、要素 x とファジィ集合 A を考察する度に、この要素 x は、70％集合 A に属し、30％集合 A に属さないといっている。

(Traeger 1993)

124頁
＊グラフによる表記（102）、総計による表記（103）そして対の組による表記（104）がある。（Traeger 1993）詳細については、解説25を参照すること。

134頁
＊メンバーシップ値は、多かれ少なかれ恣意的に選択される。つまり、主観的な評価ということになる。（Traeger 1993）

157頁
＊本書は、日常の経験からイロニーにも個人差があり、それがまちまちになることを想定している。

184頁
＊ここでは簡単のため、通常の人間の音声を60デシベルと考えている（158を参照すること）。

＊病状を表すために、ここでは指標として1から10までを想定している（159を参照すること）。

188頁
＊音節とは、語の構成要素としての音の単位で、一つのまとまった音のイメージを与えるものである。通常、核となる母音の前後に子音を伴っていて、開口度が小→大→小と移行する。（広辞苑）ここでは、Dr. Krakowski の話し振りが、音節や音声だけではなく、イロニー的な意味合いも含んでいるため、単なる

音声とか音韻の問題だけでは説明が十分とはいえない。それ故に、ファジィ理論の表記を試みている。

おわりに

　初版の『計算文学入門 – Thomas Mann のイロニーはファジィ推論といえるのか？』の最後に、出版後は、『魔の山』のデータベースを作成し、論理計算と統計からなるカリキュレーションにより人の目には見えないものを探すと述べた。

　人文科学からマクロのシステムを構築するシナジーのメタファーの研究は、狭義のシナジーのメタファーとしての役割を果たす3Dの箱が必要になる。これは、ミクロ、メゾ、クラウドそしてマクロからなる広義のシナジーのメタファーの一要素となり、地球規模を比較する東西南北のデータとしてメゾのエリアに溜まっていく。

　『魔の山』のデータベースは、何年もかけて原文をエクセルに手入力し、文理のカラムを設けてリレーショナルを心掛け、登場人物を動かしながら数字を入力した。バラツキ、相関、多変量、心理統計、交絡、ファイ係数、オッズ比、カイ二乗検定といった統計分析を試み、補説3では、その中から Dr. Krokowski のバリトンの声をバラツキの分析例として紹介した。

　改訂版では、さらに補説を設け、その意図がでるように工夫した。初版当初に比べ、主の専門の系もさること、副専攻の系に関しても資格やレポートそして論文の数が増え、人文からマクロのシステムを構築する準備が整ってきた。また、Montague Grammar と文学というどの言語でも生じるミスマッチも調節できている。

　今後は、分析する国地域の数やメゾのデータが増えるとともに、○○社会学という束ねるリボンの本数が増えていくとよい。クラウドから集団の脳の活動として指令を受け、まとめるとこうなるといったマクロの結論を導くことが自ずと比較の作業に

つながり、システムを安定させることになる。そして、社会とシステムや医療と情報のような世の中にある他のシステムと共存させることも共生を目指す研究者の目標と考えている。

　最後になるが、『計算文学入門』の改訂版を出版するにあたり、お手伝いいただいたブイツーソリューションの方たちのみならず、関係者の皆さんに心よりお礼を申し上げる。

2022年5月

花村嘉英

参考文献

言語系

- Bach, Emmon: In Defense of Passive, Linguistics and Philosophy 3, 297-341, 1980.
- Ballmer, Thomas: Context Change, Truth and Competence, In R.Bauerle, U. Egli (eds.) Semantics from Different Points of View, Springer, 21-31, 1979.
- Bird, Steven: Prosodic Morphology and Constraints Based Phonology, Research Paper EUCCS/RP-38, Centre for Cognitive Science University of Edinburgh, 1990.
- Chomsky, Noam: Lectures on Government and Bindung, Dordrecht, Foris, 1981.
- Devlin, Keith: Infons and Types in an Information-Based Logic, CSLI Lecture Notes No. 22, 79-95, 1991.
- Erbach, Gregor and Brigitte Krenn: Idioms and Support-Verb Constructions in HPSG, Computational Linguistics at the University of Saarland, Report No. 28, 1993.
- Fleischer, Wolfgang: Phraseologie der deutschen Gegenwartsprache, VEB Bibliographisches Institut, 1982.
- Frege, Gottlob: Funktion, Begriff, Bedeutung, Vandenhoeck and Ruprecht, 1986.
- Gazdar, Gerald, Ewan Klein, Geoffrey Pullum and Ivan Sag: Generalized Phrase Structure Grammar, Harvard University Press, 1985.
- Greciano, Gertrud: Zur Semantik der deutschen Idiomatik, ZGL 10, 295-316, 1982.
- Groenendijk, Jeroen and Martin Stokhof: Infinitives and Context in

Montague Grammar, In S. Davis and M. Mithun (eds.) Linguistics, Philosophy and Montague Grammar, Texas University Press, 287-310, 1979.

- Groenendijk, Jeroen and Martin Stokhof: Dynamic Predicate Logic, Linguistics and Philosophy 14, 39-100, 1991.
- Gunji, Takao: Japanese Phrase Structure Grammar, Reidel, 1987.
- 花村嘉英：Anfangen, beginnen, aufhören における様相因子の動きから生まれる文の曖昧性－モンタギュー文法による形式意味論からの考察, 立教大学大学院文学研究科博士前期課程ドイツ文学専攻修士論文, 1987.
- 花村嘉英：Montague Grammar から GPSG へ－イディオムの構成性をめぐるモデル理論の修正, 立教大学ドイツ文学科論集アスペクト25　75－90　1991.
- Hanamura, Yoshihisa: Die Textanalyse von HPSG - zur Ironie im Zauberberg von Thomas Mann, Abgegebene Hausarbeit zur Neuphilologischen Fakultät der Eberhard-Karls-Universität zu Tübingen, 1995.
- 花村嘉英：計算文学入門－Thomas Mann のイロニーはファジィ推論といえるのか？ 新風舎, 2005.
- 井口省吾, 山科正明, 白井賢一郎, 角道正佳, 西田豊明, 風斗博之：モンタギュー意味論入門, 三修社, 1987（Dowty, Wall and Peters (1981) からの翻訳）.
- Kamp, Hans: A Theory or Truth and Semantic Representation, In J. Groenendijk, T. Janssen, and M. Stockhof (eds.) Truth, Interpretation and Information, Foris, 1-41, 1981.
- Karttunen, Lauri: Presuppositions of Compound Sentences, Linguistic Inquiry 4,169-193, 1973.
- König, Esther and Roland Seiffert: Grundkurs PROLOG für

Linguisten, Francke, 1989.

- Lakoff, George: Hedges - A Study in Meaning Criteria and Logic of Fuzzy Concepts, Journal of Philosophical Logic 2, 458-508, 1973.

- Löbner, Sebastian: Einführung in die Montague Grammatik, Scriptor, 1976.

- Löbner, Sebastian: Intensionale Verben und Funktionalbegriffe, Gunter Narr, 1979.

- Łukasiewicz, Jan: Philosophical Remarks on Many-Valued Systems of Propositional Logic, In S. McCal (ed.): Polish Logic 1920-1939, Oxford University Press, 40-65, 1967.

- Matin-Löf, Per: Constructive Mathematics and Computer Programming, in L. J. Cohen, J. Los, H. Pfeiffer and K. P. Podewski (eds.): Logic, Methodology and Philosophy VI, North-Holland, 153-175, 1982.

- Montague, Richard: Formal Philosophy, Yale University Press, 1974.

- 新村 出編：広辞苑 岩波書店, 1983.

- Pereira, Fernando and Stuart Shieber: Prolog and Natural Language Analysis, CSLI Lecture Notes No.10, 1987.

- Pollard, Carl and Ivan Sag: Information-Based Syntax and Semantics, Volume 1: Foundamentals, CSLI Lecture Notes No.13, 1987.

- Pollard, Carl and Ivan Sag: Head-Driven Phrase Structure grammar, University of Chicago Press, 1994.

- Ranta, Aaren: Intuitionic Categorial Grammar, Linguistics and Philosophy 14, 203-239, 1991.

- Seeman, Marc: Neuronale Netze 1, Biologische Grundlagen, Universität Tübingen, 1991.

- 白井賢一郎：形式意味論入門, 産業図書, 1985.

- Siegel, Muffy: Measure Adjectives in Montague Grammar, In S. Davis and M. Mithun (eds.) Linguistics, Philosophy and Montague

Grammar, Texas University Press, 223-262, 1979.

- 菅野道夫：ファジイ理論の展開 – 科学における主観性の回復, サイエンス社, 1991.
- Traeger, Dirk: Einführung in die Fuzzy-Logik, Teubner, 1993.
- 津本周作：ラフ集合論の現状と課題, 日本ファジー学会誌, 552-561, 2001.
- Wheeler, Deirdre: Consequences of Some Categorially-Motivated Phonoiogical Assumptions, In T. Ochrle, E. Bach, and D.Wheeler, (eds.) Categorial Grammars and Natural Language Structures, Reidel, 467-488, 1988.
- 安井稔編：新言語学辞典, 研究社, 1982.
- Zadeh, Lotfi: Fuzzy sets, Information and Control, Vol.8, 338-353, 1987.

文学系
- Baumgart, Reinhard: Das Ironische und die Ironie in den Werken Thomas Manns, Carl Hanser, 1964.
- Frommer, Wolfgang: Die Komposition menschlicher Lebensformen in Thomas Manns "Zauberberg", Dissertation zur Hohen Philosophischen Fakultat der Eberhard-Karls-Universitat zu Tübingen, 1966.
- Gauger, Hans-Martin: Der Zauberberg - ein linguistischer Roman, Neue Rundschau 86, 217-245, 1975.
- 花村嘉英：『狂人日記』から見えてくるカオス効果について – 認知言語学からの考察（統合失調症）, 四川外国語大学国際シンポジウム, 2013.
- 花村嘉英：サピアの『言語』と魯迅の『阿Q正伝』 从认知语言学的角度浅析鲁迅作品 – 魯迅をシナジーで読む, 華東理工大学出版社, 2015.

- 花村嘉英：森鴎外の『山椒大夫』のデータベース化とその分析, 中国日語教育研究会江蘇分会, 2015.
- 花村嘉英：森鴎外の『佐橋甚五郎』のデータベースとバラツキによる分析, 中国日語教育研究会江蘇分会, 2016.
- 花村嘉英：日语教育计划书－面向中国人的日语教学法与森鸥外小说的数据库应用, 日本語教育のためのプログラム－中国語話者向けの教授法から森鴎外のデータベースまで 南京東南大学出版社, 2017.
- 花村嘉英：从认知语言学的角度浅析纳丁・戈迪默－ナディン・ゴーディマと意欲, 華東理工大学出版社, 2018.
- 花村嘉英：シナジーのメタファーの作り方－トーマス・マン, 魯迅, 森鴎外, ナディン・ゴーディマ, 井上靖, 日语教育与日本学研究（上海分会）－大学日语教育研究国际研讨会论文集, 2018.
- 花村嘉英：川端康成の『雪国』に見る執筆脳について－「無と創造」から「目的達成型の認知発達」へ, 日语教育与日本学研究（上海分会）－大学日语教育研究国际研讨会论文集, 2019.
- 花村嘉英：社会学の観点からマクロに文学を考察する－危機管理者としての作家について, 日语教育与日本学研究（上海分会）－大学日语教育研究国际研讨会论文集, 2020.
- 花村嘉英：三浦綾子の『道ありき』でうつ病から病跡学へのアプローチを考える, 日语教育与日本学研究（上海分会）－大学日语教育研究国际研讨会论文集, 2021.
- 花村嘉英：トーマス・マンの『ヨーゼフとその兄弟』から見えてくるファジィ速度について－『ヤコブ物語』からの考察, Puboo, 2021.
- Lehnert, Herbert: Anmerkungen zur Entstehungsgeschichte von

Thomas Manns"Bekenntnisse des Hochstaplers Ferix Krull", "Der Zauberberg" und "Betrachtungen eines Unpolitischen", Deutsche Vierteljahresschrift 38, 267-272, 1994.

- Mann, Thomas: Der Zauberberg（『魔の山』高橋義孝訳）, Frankfurt a. M., Fischer. 1986.
- 大村　平：統計のはなし－基礎・応用・娯楽, 日科技連, 1984.
- Riekman, Jens: Der Zauberberg － Eine geistige　Autobiographie Thomas Manns, Hans-Dieter Heinz, 1977.
- 高城和義：パーソンズ　医療社会学の構想, 岩波書店, 2002.
- Walser, Martin: Ironie als höchstes Lebensmittel oder Lebensmittel der Höchsten, in H.L.Arnold(hg.) TEXT+KRITIK, Fischer, 5-26, 1982.

著者紹介

花村 嘉英（はなむら　よしひさ）

1961年東京生まれ。

立教大学大学院文学研究科博士後期課程（ドイツ語学専攻）在学中の1989年にドイツ・チュービンゲン大学に留学し、同大大学院新文献学研究科博士課程でドイツ語学・言語学（意味論）を専攻する。帰国後は、英語やドイツ語の技術文の機械翻訳で実務を作る。

2009年より中国の大学で日本語を教える傍ら、比較文学・言語学（日本語、ドイツ語、英語、中国語）、文体論、健康科学、シナジー論（人文と情報、文化と栄養、心理と医学）、翻訳学（ドイツ語）の研究を進める。テーマは、データベースを作成するテキスト共生に基づいたマクロの文学分析であり、人文科学からマクロに通じるシステムの構築を目指している。

2017年に南京農業大学と大連外国語大学から栄誉証書（文献学）が授与される。

主な資格に、日本成人病予防協会健康管理士一般指導員（2015年3月認定）、健康管理能力検定1級取得（2015年3月）、健康管理士一般指導員ゴールド（2017年4月認定）、健康管理士上級指導員（2020年3月認定）、予防医学・代替医療振興協会予防医学指導士（2015年12月認定）、代替医療カウンセラー（2016年4月認定）、エイブス・メディカル翻訳英和上級修了（2016年3月）、認知症予防改善医療団認知症ケアカウンセラー（2016年12月認定）、バベル中日契約書翻訳講座修了（2017年10月）、技能認定振興協会医師事務作業補助者（ドクターズクラーク）（2019年4月認定）、Fisdom修了講座 情報リテラシー Office2016、統計学入門、Python入門、学校における無線ネットワークの作り方、安全学入門、インターネットセキュリティ、情報法（2019年10月）、JTEX修了講座 製薬・医薬品の基礎（2019年10月）、知的財産権入門（ 2019年12月）、Gacco修了講座 セキュリティ・プライバシ・法令、公衆無線LANセキュリティ対策、社会人のためのデータサイエンス 、多変量データ解析法 、統計学－データ分析の基礎、推論・知識処理・自然言語処理、クラウド基盤構築演習、アーキテクチャ・品質エンジニアリング、IoTとシステムズアプローチ、クラウドサービス・分散システム、センサ、機械学習、深層学習、社会の中のAI（2020年11月）、日本能力開発推進協会マインドフルネススペシャリスト（2020年10月認定）、上級心理カウンセラー（2021年7月認定）などがある。

計算文学入門（改訂版）

シナジーのメタファーの原点を探る

2022年6月30日　初版第1刷発行

著　者　花村嘉英
発行者　谷村勇輔
発行所　ブイツーソリューション
　　　　〒466-0848 名古屋市昭和区長戸町4-40
　　　　TEL：052-799-7391 / FAX：052-799-7984
発売元　星雲社（共同出版社・流通責任出版社）
　　　　〒112-0005 東京都文京区水道1-3-30
　　　　TEL：03-3868-3275 / FAX：03-3868-6588
印刷所　藤原印刷